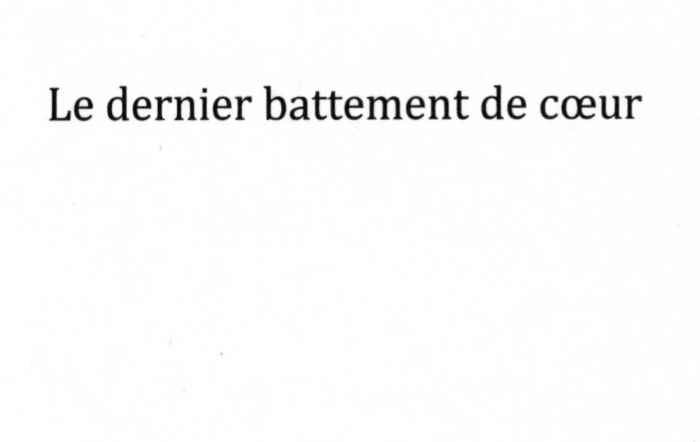

Le dernier battement de cœur

Simona Sparaco

Le dernier battement de cœur

Traduit de l'italien par Élise Gruau

Titre original :
Nessuno sa di noi

118, avenue Achille-Peretti – CS 70024
92521 Neuilly-sur-Seine Cedex
www.michel-lafon.com

Au plus petit et au plus grand de mes maîtres.
Mon fils.

Nous sommes toutes là.

Chacune arbore son trophée, plus ou moins en évidence, et tient son dossier médical sous le bras. Nous sommes toutes gentiment assises, comme à l'école lorsque le maître fait l'appel. Certaines feuillettent distraitement une revue, avec l'air satisfait et ne doutant nullement que tout se passera bien, d'autres, tendues en revanche, gardent la tête baissée et les mains jointes. Comme si derrière cette porte couleur pastel se profilait réellement la menace de se faire renvoyer.

Nous sommes toutes des mères en attente d'une échographie.

L'une d'entre elles me demande à combien de semaines je suis, je lui réponds à peine et Lorenzo me donne un petit coup de pied, comme pour me rappeler que je ne suis plus seule maintenant, et que c'est aussi pour lui que je dois faire l'effort de me montrer plus sociable. Rien que dans cette salle d'attente, on pourrait dénombrer sept compagnons de jeu possibles. Et puis il reste dans cette position, le pied pointé sous mon sternum. Je l'imagine faisant la tête avec la même obstination que moi quand j'ai décidé quelque chose. Cela fait maintenant vingt-neuf semaines et deux jours que je ne fais rien d'autre. Faire travailler mon imagination.

Pietro est assis à côté de moi. Comme chaque fois, il a mis son pull à carreaux vert et bleu, celui qu'il avait le jour de son diplôme, qui peluche et dont les fils pendouillent au bout des manches. Il dit qu'il lui porte bonheur. Il est en train de consulter les échographies précédentes, celle qui examine la clarté nucale et celle de la morphologie, peut-être en quête, à travers cet inextricable jeu d'ombres, de son nez ou de ma bouche, de la forme des yeux de sa mère, qu'on dirait sortie tout droit d'un film muet, ou de la forme du visage de mon grand-père, le résistant, qui avait un sourire si fier. Pendant ce temps, je songe à la couleur que je viens de peindre sur les murs de la nouvelle petite chambre. Ce n'est pas le bleu dégradé de gris que j'avais adoré dans un catalogue français de décoration : le mien, à peine séché, a pris un air faux, un bleu de film en Technicolor des années 1950. Qui sait pourquoi les pensées sont si insignifiantes l'instant qui précède l'impensable ?

C'est à mon tour. Une jeune fille sort du cabinet du médecin. Elle est seule, et sur son ventre, le gonflement est à peine perceptible. Son regard est hésitant, mais déjà plein de promesses. L'échographe paraît sur le seuil et me fait signe d'entrer.

– Je vous en prie.

Je me lève et la rejoins. Pietro me suit en silence. Nous la saluons tous les deux avec un demi-sourire impatient.

– Luce, comment allez-vous ? demande-t-elle en refermant la porte derrière nous.

– Comme une grosse couveuse ! dis-je en plaisantant.

– Vous savez que depuis que j'ai découvert votre rubrique, je me suis abonnée au magazine ?

Je la remercie d'une phrase de circonstance, sans même m'en rendre compte. Je m'approche sans attendre de la table d'examen. Je suis pressée d'enlever mes vêtements et de le voir à nouveau.

Pietro ouvre la chemise en plastique où il a rangé les résultats des derniers examens, mais l'échographe l'arrête d'un geste de la main. La saynète trahit qu'il s'agit de notre premier enfant.

– Ça avance bien, commente-t-elle en parcourant mon ventre rond comme un œuf géant.

Je suis déjà allongée avec ma robe retroussée sur la poitrine. Je fixe la sonde échographique, à quelques centimètres de moi, comme un drogué en manque devant une dose de méthadone. Pietro me tient la main. L'échographe nous sourit. Elle sourit aussi quand elle allume le moniteur et me met sur la peau du gel froid et transparent.

– Avant Noël, vous êtes toutes très pressées, plaisante-t-elle à voix basse. On dirait que vous vous êtes mises d'accord pour prendre rendez-vous le même jour.

Pendant ce temps, elle étale le gel avec la sonde dans un grand geste en spirale, en appuyant doucement sous le nombril. Mais lorsque sur le moniteur paraît enfin la tête de Lorenzo, elle cesse de sourire. Ses joues retombent brusquement de chaque côté de sa bouche, comme deux poches. Et un sillon profond se forme entre ses sourcils, un pli de concentration.

Sur le moniteur, mon fils va et vient, comme dans ces images renvoyées par les miroirs déformants d'un parc d'attractions. L'échographe arrête l'image sur un profil visible et utilise la souris de son ordinateur pour prendre des mesures exactes. Lorenzo est de nouveau là, en noir et blanc, au-dessus de nos têtes, tandis que des lignes droites le traversent de part en part. La dernière fois, j'ai été tellement émue lorsque j'ai réussi à distinguer parmi ces ombres son visage couvert par ses petites mains, dans un geste de malaise ou de défense, qui sait. Tandis qu'un cercle s'ouvre comme un tourbillon sur son crâne minuscule pour en déterminer le diamètre, j'analyse le regard du médecin, pour essayer de lire dans la moindre contraction de ses paupières une anticipation, un indice.

Elle s'adresse à son assistante en énonçant des nombres qui n'ont pour moi aucun sens, mais je comprends parfaitement que quelque chose est en train de changer. Maintenant. Pour toujours.

– Il est court, prononce-t-elle plusieurs fois, en parlant du fémur.

Je commence à tirer sur mes cheveux, comme chaque fois que je suis prise d'angoisse. J'attrape des boucles que j'enroule autour de mes doigts. Mon regard est accroché à ses petites jambes, que j'arrive à voir nettement pour la première fois. Les petits pieds, mon Dieu, ils sont là, parfaits, les orteils bien rangés les uns à côté des autres, comme ceux d'un nouveau-né, sauf que lui, il est encore dans mon ventre. Mon cœur tambourine dans mes oreilles, dans mon ventre, dans mes os. Je ne sais pas si c'est le sien ou le mien, mais je le sens partout. J'ai l'esprit confus, embrumé. L'échographe presse la sonde sur ma peau et la déplace dans tous les sens. Pietro me serre la main sans rien dire.

Ces lignes et ces cercles continuent de s'agiter sur la silhouette de notre fils, formant comme un brouillon, mais d'une précision géométrique, infaillible. L'échographe le mesure plusieurs fois, s'arrête sur les jambes, sur les bras, sur la tête, puis sur le thorax, le détail qui semble l'inquiéter le plus. Elle me dit de rester calme, mais elle demande à l'assistante de téléphoner à ma gynécologue.

– Dites au Dr Gigli de venir tout de suite.

Puis elle enlève l'appareil avec un soupir qui équivaut à une vitre qui tombe et se brise sur le sol, et me demande de me rhabiller.

Je suis complètement rigide, mes mains tremblent, encore agrippées à mes cheveux. Avec un morceau de papier absorbant, j'enlève de ma peau le gel humide et froid.

– Voulez-vous un verre d'eau ?

– Non, je veux savoir ce qui se passe.

– Venez, asseyez-vous.

L'échographe m'aide à descendre de la table d'examen et à m'asseoir sur un siège en face de son bureau. Je n'arrive pas à rester en équilibre, la lumière artificielle du néon me fait vaciller, je lutte pour garder les yeux ouverts. Je ne peux m'empêcher de chercher ceux de Pietro, espérant les trouver posés sur moi, et rassurants, comme une boussole. Mais ils sont liquides et perdus, fixés sur le moniteur désormais complètement noir.

Et c'est là, pendant que l'échographe parle de retard de croissance inquiétant, de cinquième percentile et d'autres termes incompréhensibles, que tout bascule et que je me sens submergée par une lumière aveuglante. Des éclairs blancs qui, pendant un instant infini, effacent tout le reste.

– De la vingtième semaine à aujourd'hui, l'enfant n'a pas grandi comme prévu. Il y a des anomalies inquiétantes qui me font penser à une forme de dysplasie du squelette, mais je ne suis pas en mesure de vous donner un diagnostic.

– Pourquoi n'a-t-on rien vu jusqu'à présent ? Qu'est-ce qu'il faut faire ? Comment y remédier ?

Je reconnais la voix de Pietro, à proximité, quelque part. Des appels inquiétants, mais ouatés, distordus. J'ai l'impression d'être restée seule dans la pièce, et seule au monde, comme lorsque, enfant, je jouais à cache-cache et qu'à la fin du décompte je partais chercher mes copains sans réussir à les trouver.

– J'ai fait quelque chose qu'il ne fallait pas ?

Je les interromps soudainement, tandis que les larmes glissent silencieusement sur mes joues. Je les regarde tous les deux sans les voir. Puis je pose la question redoutée et maudite pour toute mère, dans un souffle, en tordant entre mes doigts un morceau mouillé du tissu de ma robe.

– C'est ma faute ?

Première partie

« Allons ! Construisons-nous une ville et une tour
dont le sommet touche le ciel et faisons-nous un nom
afin de ne pas être dispersés sur toute la surface de la terre.
Mais l'Éternel dit :
[...] Descendons et là, brouillons leur langage
afin qu'ils ne se comprennent plus mutuellement. »

Genèse XI, 4-6, la tour de Babel

Seizième année, numéro 705 du 2 juin

Chère Luce,
Je suis une fidèle lectrice de votre rubrique. Elle me tient compagnie une fois par semaine avant de me coucher, et ce sont les nuits pendant lesquelles je dors le mieux. J'aime vos réponses pertinentes, les conseils que vous donnez aux lectrices, les pensées que vous exprimez sur les questions de la vie. Dans votre dernier recueil d'interviews transparaît toute votre originalité. Vous êtes l'amie que j'aurais tant voulu rencontrer.
J'ai cinquante-six ans, je ne suis pas mariée et je suis sans enfant. Je suis infirmière, et je rentre chez moi en fin de journée tellement fatiguée que j'ai même du mal à mettre un bouillon KUB dans une casserole pour me faire une soupe. Certains soirs, j'aimerais que quelqu'un prenne soin de moi, comme je le fais moi-même tous les jours que Dieu fait pour des dizaines et des dizaines de parfaits inconnus. Mais ne vous méprenez pas, chère Luce, ma solitude n'est pas mélancolique, ni faite de regrets et d'abandons, je suis arrivée là où j'en suis par choix, consciente d'avoir cherché longtemps sans avoir jamais rencontré la personne capable de déchiffrer mes silences. Le remède ne serait pas forcément de trouver un mari et d'avoir des enfants, que je n'ai d'ailleurs plus l'âge d'imaginer ; je voudrais seulement une amie, une amie sincère, qui saurait éloigner de moi l'ennui et remplir ma vie de choses intéressantes.

Heureusement, il me reste des magazines comme le vôtre, la littérature, le cinéma et la vie à l'hôpital, qui se parcourt un jour à la fois, comme les pages d'un livre monotone, certes, mais avec des surgissements de gratitude inattendue. Et voulez-vous connaître mon opinion sur l'humanité après trente ans dans ce métier ? Eh bien, Luce, à l'hôpital, il n'y a pas plus de malades qu'en dehors. Nous sommes tous en permanence à la recherche d'un remède. Un soin qui nous transporte, qui nous efface même, du moment qu'il nous sauve. Qui nous fasse revenir en arrière ou qui nous pousse vers l'avant. Même après avoir vaincu l'incurable, nous revenons tous, un jour ou l'autre, en quête d'un remède.
Et il ne suffit pas d'un soir par semaine pour penser l'avoir trouvé.
Avec gratitude,

Agnes55

Lorenzo est arrivé un matin de juin, quand, après cinq années de tentatives infructueuses, Pietro avait décidé de ne plus l'attendre.

Je m'étais réveillée par paliers, appelée par une nécessité impérieuse, tirée de force du sommeil. Pendant que je refaisais surface, l'instant d'une fraction de seconde j'avais oublié comment je m'appelais. Je n'avais plus trente-cinq ans et ma vie était encore une page blanche. Il n'y avait pas d'article en cours de rédaction dans mon ordinateur ni de lecteurs de ma rubrique en attente de réponse. Il n'y avait pas non plus la pile de contraventions et de factures à l'entrée, la liste des courses, les vêtements à amener chez le teinturier, les casseroles dans l'évier de la cuisine remplies d'eau et de produit vaisselle à ras bord. Je n'avais pas les cheveux trop bouclés ni les yeux toujours gonflés. Et dans cette brève parenthèse d'inconscience, je n'étais la fille de personne.

Puis je me suis tournée vers la commode.

La première chose qui est nettement apparue, à côté du réveil, a été le test d'ovulation. Je l'avais oublié là la veille, et le voir a été comme recevoir une gifle en plein visage. Il m'a rappelé immédiatement qui j'étais et où j'étais.

Dans ma chambre, certes, mais surtout dans les jours les plus fertiles du mois.

J'ai exploré le reste de la pièce pour me procurer ce dont j'avais urgemment besoin. Mon regard a glissé rapidement sur le lit défait, les murs couleur béton, la chaise longue recouverte de vêtements éparpillés, les piles de livres amoncelés sur la commode et sur le meuble de la télévision, mais dans tous ces détails superflus, je n'ai pu identifier l'objet de ma recherche. Celui-ci était debout, face au miroir de l'armoire, à batailler avec une cravate.

Ses lèvres étaient contractées dans une grimace et ses cheveux châtain clair lui retombaient sur le front. Je l'ai regardé avec des émotions mêlées, de tendresse et de complicité, renfermées dans une carapace inviolable d'entêtement et de discipline.

Ensuite, je me suis frotté les yeux et j'ai soulevé la couette en frissonnant au contact retrouvé avec le monde extérieur. J'étais prête. Même si le sexe de bon matin ne m'a jamais plu, mon bras s'est allongé jusqu'à Pietro pour attraper sa veste et le faire tomber dans les draps.

– Tu vas me faire rater l'avion, a-t-il protesté, opposant une résistance passive et restant en équilibre sur la moquette.

– Si nous faisons vite, tu seras à l'heure, l'ai-je rassuré, tandis que d'un mouvement décidé je l'attirais au creux de mon nid.

– Attention à mon costume...

Il s'est laissé entraîner, comme chaque fois, en se retournant juste avant de toucher le bord du lit et de me tomber dessus. Je l'ai guidé vers moi et je l'ai cherché avec ma bouche. Nos baisers étaient devenus un jeu de résistance : ma langue réveillait la sienne, la tirait de l'inertie et l'obligeait à répondre, par politesse plus que par passion. Je savais à quoi il était en train de penser. Nous étions prisonniers d'un test. C'était ce petit objet oblong, de plastique blanc et violet, qui dictait nos orgasmes et le rythme de notre vie sexuelle. J'aurais voulu le convaincre du contraire, mais il avait raison. C'était à cause du test que je le faisais. Sinon, je me serais replongée sous la couette et rendormie. D'ailleurs, mon réveil n'avait même pas encore sonné.

Dès qu'il m'a pénétrée et a commencé à bouger, j'ai essayé d'arrêter le mouvement de ses yeux et de les retenir dans les miens. Mais le regard de Pietro était ailleurs : à la deuxième douche qu'il allait devoir prendre, aux vêtements froissés qu'il allait devoir changer, à l'avion qui allait partir sans lui.

Personne n'aurait parié sur nous. La journaliste freelance et le fils d'un industriel. C'est par mon travail que nous nous sommes rencontrés, et six ans plus tard, nous sommes toujours ensemble. C'est grâce à mon chef : il m'avait envoyée interviewer le stéréotype du fils à papa, puis il avait rayé la moitié de l'article qu'il considérait comme politiquement incorrect. Nous avons commencé à nous fréquenter après le coup de fil de Pietro à la rédaction. Il m'avait invitée à dîner, curieux de lire la version non censurée de l'interview. Moi j'avais accepté, par esprit de provocation. Je la lui avais lue devant un verre de cabernet en soulignant volontairement les passages les plus déplaisants. Je voulais la guerre. Ça peut aussi être une façon de commencer. Avec un couteau aiguisé entre les dents et l'envie de le dégainer, pour trouver à la place des lèvres entrouvertes.

Nous sommes tout de suite tombés amoureux, et n'en avons pas été si surpris. Nous sommes deux extrêmes qui se rencontrent. Pietro est volontaire, pragmatique, honnête d'une façon presque enfantine, romantique, optimiste. Quand je pense à lui, les adjectifs s'enchaînent dans une suite logique et exhaustive. Je ne suis prise d'incohérence que quand je dois parler de moi-même. Je ne me reconnais dans aucune définition. Je ne me sens pas de fermeté, je suis toujours sur le point de déborder, comme un fleuve tourmenté qui se perd dans mille ruisseaux. Les autres ont toujours été pour moi comme des calamités naturelles : ils ont provoqué des secousses, des mouvements telluriques, des tourbillons capables de m'emporter. Pietro est le seul qui a pu changer les choses. Le premier à construire des remparts et à imposer une direction à mon cours. Le premier qui m'a permis de me sentir solide et de trouver l'empreinte dans laquelle j'ai enfin pris corps.

Quelques minutes plus tard, je me suis rejetée sur le matelas et j'ai levé les jambes pour les poser sur la tête de lit afin de faciliter le chemin de la vie, suivant ce que j'avais appris de quelque forum sur Internet. Pietro m'a regardée du coin de l'œil, avec l'air de quelqu'un qui se serait perdu dans un rêve. Je lui ai adressé mon sourire habituel, hypocrite et sournois, mais je n'ai pas obtenu de réponse. Il a ravalé sa perplexité dans un soupir, s'est levé et est parti en direction de la salle de bains.

J'étais trop occupée pour m'en soucier. J'exhortais mentalement mes ovules à se montrer affables et réceptifs. J'encourageais la vie.

De la salle de bains, pendant ce temps-là, me parvenait le bruit de la douche. J'imaginais le corps nu de Pietro réagir au contact de l'eau, se dissoudre comme une aspirine effervescente, et s'écouler dans un torrent mousseux. Je me suis tout à coup sentie exposée, vulnérable. Quelque chose était parvenu à fissurer la carapace et s'employait à broyer la substance qu'elle contenait.

Je me suis juré que cette fois-ci serait la dernière, et que le lendemain nous reviendrions à une vie normale.

Et c'est l'instant précis – maintenant, je le sais – où notre enfant a été conçu.

Je n'ai parlé que peu de fois avec Dieu. Je reconnais que c'était toujours pour lui demander quelque chose. Toutefois, qu'il s'agisse d'une explication ou d'une faveur, je ne sais jamais quel ton employer, ni dans quelle disposition me le représenter. À la fin de chaque discussion, je me sens toujours un peu ridicule, comme si je venais de parler toute seule. Mais le jour où je suis allée retirer mes résultats d'analyse d'hormones bêta-HCG, je lui ai longuement parlé, et je me souviens lui avoir dit : « Eh bien, si cette fois encore j'apprends que je ne suis pas enceinte, je jure de ne m'en prendre à personne et d'arrêter. Je pourrais convaincre Pietro de faire une demande d'adoption. Est-ce cela que Tu veux ? Ou veux-Tu que je prenne sérieusement en considération l'idée que c'est la science et non la vie qui choisit pour moi ? Sur ce point, Tu le sais, j'ai toujours eu mon opinion. Mais je suis fatiguée d'entendre Pietro me répéter qu'il préférerait m'emmener à l'étranger[1] plutôt que de me voir perpétuellement déçue. Le fait est que je le veux, cet enfant. Tu peux bien dire que c'est l'instinct, il reste que c'est Toi qui l'as inventé. J'ai envie d'aimer quelqu'un dont je peux me dire en le regardant : c'est moi qui l'ai créé. J'ai envie de me sentir un peu comme Toi. »

---

1. En Italie, la procréation médicalement assistée est interdite. *(N.d.T.)*

Ce jour-là, l'infirmière de l'hôpital, une femme d'âge moyen aux cheveux crépus et cuivrés, m'a remis d'un air distrait la feuille contenant mes résultats. Je n'avais plus la force d'adresser une autre pensée à Dieu, je me suis seulement dépêchée de lire la quantité d'hormones bêta-HCG présente dans mon sang. Les valeurs de référence reportées sur la colonne de droite ne signifiant pas grand-chose pour moi, je lui ai demandé de m'aider.

– Ici, il n'y a que « 80 » d'écrit, qu'est-ce que cela veut dire ?

– D'après vous ? m'a répondu la femme, en mastiquant un chewing-gum.

J'ai marché le long des jardins devant l'hôpital, parmi des malades en pyjama, des médecins en chemise bleue et des parents fatigués. Je me suis approchée d'une pelouse, je me souviens d'avoir eu envie d'enlever mes chaussures pour sentir l'humidité piquante des brins d'herbe sur ma peau. J'étais légère, comme les boutons d'acanthe qui bourgeonnaient dans les parterres, suspendue moi aussi sous les feuilles sombres et brillantes. Je me suis acheminée jusqu'au portail, j'ai compté les panneaux publicitaires et les voitures garées le long du trottoir. Je me suis arrêtée devant la normalité de cet après-midi comme face à un monde complètement nouveau.

Puis, le sourire aux lèvres, je me suis dirigée vers le parking, je suis montée dans ma voiture et j'ai mis le contact.

Je me suis laissé porter par le flot de circulation dans la ville, tandis que la lumière du jour diminuait, remplacée par celle des phares de voitures, des lampadaires et des vitrines bientôt obstruées par leurs rideaux de fer. Les magasins, tout comme les bandes fleuries en bordure des trottoirs, se raréfiaient. Le quartier dans lequel je pénétrais ne ressemblait pas au mien. Ce n'était pas un quartier résidentiel, mais une juxtaposition d'immeubles en béton, couverts de graffitis d'insultes et de déclarations d'amour. Une concentration d'habitations populaires avec des balcons rentrés, débordants de linge à sécher et de paraboles. C'était aussi davantage qu'un quartier : un souvenir, une plaie ouverte. Un vide béant dans la psyché.

C'est ici que vit ma grand-mère.

Enfant, je m'y rendais chaque semaine, avec ma mère qui me laissait vadrouiller aux alentours du bar à l'enseigne orange et de Mme Lia qui, de derrière le comptoir, me couvrait de bonbons. Quand il pleuvait ou quand il faisait froid, en revanche, je restais à l'intérieur, à regarder des dessins animés à la télé. Nos visites n'avaient pas de motif particulier : ma mère terminait son travail à quatorze heures, elle avait l'après-midi libre, et au moins trois fois par semaine elle me soulevait de terre pour me mettre à l'arrière de la Renault marron. Que j'aie été sage ou non ne faisait aucune différence. Elle me conduisait chez mamie Iolanda comme un colis, et revenait me chercher le soir. J'ai le souvenir d'avoir été affamée de cette mère qui n'était jamais là. Je la cherchais dans toutes les femmes dont je croisais le chemin, je la suivais dans toutes les voix féminines qui parvenaient à mes oreilles, je l'embrassais virtuellement en entourant de mes bras l'immense tronc d'un tilleul du jardin public. Je souffrais de ces abandons comme d'une injustice cosmique. Même après la mort de mon père, quand nous avons emménagé ici nous aussi et que nous nous sommes terrées toutes les trois sous le même toit, rien n'y a fait. Ma mère quittait la maison à sept heures le matin, revenait à quatorze heures, fumait une cigarette, se changeait et sortait à nouveau. Pendant des années, c'était comme ça, jusqu'à ce que j'entre en primaire. Mais las, le mal était fait. J'étais désormais incapable de me guérir de ces adieux expéditifs et répétés, de la culpabilité et de la perplexité qu'ils ne cessaient de creuser en moi. Toute ma vie, j'ai continué à avoir l'impression d'être oubliée. C'est devenu ma façon d'être au monde. Depuis lors, je suis celle qui reste en retrait, qui se perd, qui n'arrive pas à finir ses études, à garder un amoureux, à trouver un travail décent, à se marier. À faire un enfant.

C'est un Asiatique qui m'a ouvert la porte : un homme de petite taille, droit dans une chemise beige à col Mao. Il s'est retourné sans un mot, tenant pour acquis le fait que j'allais le suivre, et il a disparu à petits pas dans le couloir. La maison de ma grand-mère s'est brusquement refermée sur moi à la façon d'un piège sur une patte blessée. À l'intérieur, les meubles sont vermoulus et leur vernis s'écaille, les carreaux de grès sont fendillés en plusieurs endroits et les murs ont des lézardes qui ressemblent à des éclairs dans la nuit. Ce lieu m'a toujours donné la nausée.

J'ai trouvé ma mère sur le lit de sa chambre. Elle portait un pantalon de pyjama sans forme bleu électrique et un soutien-gorge en coton blanc. Son corps était recouvert d'une myriade de petites aiguilles plantées dans la peau ; on aurait dit des bougies éteintes sur un gâteau glacé en train de fondre. Elle était allongée sur un drap fleuri ; debout, à côté du lit, l'Asiatique à l'âge indéterminé préparait des cotons et de l'alcool dans un bol posé sur la commode.

– Je te présente Yu, a dit ma mère, en cherchant à intercepter mon regard. C'est un magicien de l'acupuncture.

L'homme n'a pas réagi à cette présentation et lui a posé encore une aiguille qu'il a fait vibrer d'une pichenette de l'index. J'ai soupiré. Ce n'était pas vraiment une surprise. Ma mère a éloigné d'elle toutes les amitiés qui la reliaient au passé. Elle a limité les relations avec la famille de mon père aux fêtes obligatoires et aux grandes occasions de ma vie : première communion, communion solennelle, et mariage si toutefois celui-ci avait lieu. Elle s'est volontairement exilée dans une vie de solitude qui doit lui peser plus que ce qu'elle veut bien admettre. Dans la forteresse qu'elle a érigée autour d'elle, des brèches s'ouvrent parfois dans lesquelles s'engouffrent des personnages irréels, tellement improbables qu'ils ne représentent aucune menace. Ils ne peuvent en effet déclencher aucune nostalgie pour le futur qu'elle a laissé derrière elle. Ce sont des feux follets qui illuminent son obscurité et s'éteignent aussi vite qu'ils se sont allumés. Il en est allé ainsi avec la voyante roumaine qui lui lisait le marc de café, pour l'aide-soignante ukrainienne avec laquelle elle échangeait des recettes, pour le commis de l'épicier qui lui livrait ses courses et avec lequel elle parlait avec véhémence des concurrents d'une émission de jeunes talents à la télévision.

– Est-ce qu'il n'est pas fantastique ? a poursuivi ma mère. Il habite au troisième étage et il est en train de me remettre sur pied. Il peut résoudre n'importe quel problème, ma chérie. Du mal de dos à l'infertilité !

Pour sûr, il résolvait la question de savoir où passait l'argent qu'elle me demandait chaque mois en exploitant le double filon de la fortune de Pietro et de la maladie de mamie Iolanda.

– Vous en avez pour longtemps ?

– Cinq minutes stop, a répondu l'Asiatique d'une voix haut perchée et autoritaire qui n'admettait pas de réplique.

– Je vais dire bonjour à mamie en attendant. Au revoir.

Et je suis partie, sans obtenir de réponse ni de l'un ni de l'autre.

Dans le couloir m'est parvenu le grand déballage de ma mère.

– C'est ma fille, Luce, celle dont je t'ai parlé. Non seulement elle n'est pas mariée, mais en plus elle ne tombe pas enceinte. On peut faire une séance gratis pour elle ?

– Rien gratis, lui a rétorqué le magicien de l'acupuncture, et je l'ai remercié mentalement tout en traversant le couloir et en atteignant la chambre de ma grand-mère.

Cette chambre, comme tout l'appartement, est étroite, truffée de bibelots, plongée dans une obscurité imprégnée d'odeur de naphtaline et de désinfectant. Dans cet air raréfié, la silhouette spectrale de ma grand-mère m'est apparue, juchée sur la chaise roulante à côté de son lit.

Elle portait une chemise de nuit jaunie, brodée à la main, un article évocateur de sa jeunesse. Ses cheveux étaient détachés, rares et d'un blanc immaculé ; ils pendaient autour de son visage comme les cheveux d'une noyée que l'eau a lissés. Elle ne portait plus son dentier depuis des mois et sa mâchoire semblait avoir reculé, son expression la faisait ressembler à un crabe. Ses pieds gonflés et noueux étaient affublés de ridicules pantoufles rose et bleu avec couture apparente, que Rachele, l'infirmière qui s'occupe d'elle la moitié de la journée, l'avait certainement aidée à enfiler. Dans la lumière incertaine de la chambre, on aurait dit une enfant ou une adolescente empaillée dans un corps de vieillarde.

– Mamie, ai-je appelé, tout en lui caressant le front.

Sa peau était ratatinée, sèche comme un parchemin.

– Mamie, tu m'entends ?

Après quelques secondes, elle a fini par me regarder, comme si c'était la première fois. Elle a battu des paupières avec une lenteur infinie, un petit rien qui semblait lui coûter un effort surhumain.

– Maman, a-t-elle répondu doucement, dans un souffle. Maman, a-t-elle répété sans détacher son regard du mien.

J'ai tenté de l'arrêter.

– Mamie, je suis là, c'est moi, Luce.

Mais elle souriait, découvrant ses gencives rosies et endurcies, en continuant, Maman, Maman…

C'est alors qu'est entrée la mienne, de mère. Enveloppée dans son pyjama bleu, les cheveux remontés en chignon, maquillée des couleurs vives qu'elle affectionne.

– Oh, mon Dieu, elle recommence. Qu'est-ce que tu lui as dit ?

– Je lui ai dit bonjour…

– Maman…

– Elle s'était calmée, et toi, tu es venue la titiller ! m'a-t-elle reproché en approchant du fauteuil. Maintenant, elle va arrêter, a-t-elle déclaré comme une certitude en passant le bras de ma grand-mère sur son épaule. Puisque tu es là, donne-moi au moins un coup de main.

Elle avait raison : ma grand-mère a immédiatement cessé sa rengaine, comme si, en la déplaçant du fauteuil au lit, nous avions rompu un charme. Avec son cathéter qui frottait contre le carrelage, elle avait l'air une marionnette.

Après avoir refait son lit, ma mère s'est approchée du miroir de la commode pour se recoiffer. Ses cheveux étaient blonds et comme ouatés, épais tel du raphia. Elle transpirait. La fragrance pénétrante de son parfum se répandait dans l'air vicié, manquant de peu de m'asphyxier. D'un doigt, elle a effacé une trace de rouge à lèvres de ses dents. Ensuite, elle s'est assurée que mamie était bien, et d'un ton froid et cassant elle m'a demandé :

– Comment se fait-il que tu sois là à cette heure ? Qu'y a-t-il de si important ?

Et moi, du même ton désagréable, je lui ai répondu :

– Je suis enceinte.

La satisfaction de ma mère est comme un poisson visqueux qui échappe des mains qui veulent le saisir. Même ce jour-là, elle n'a duré qu'un instant. Elle a surgi dans une expression fugace, trop vague pour être vraiment déchiffrable, laissant place à une moue d'indifférence.

– Vous allez vous marier, au moins ?

Seizième année, numéro 733 du 15 décembre

Bonjour Luce,
Peut-être te semblera-t-il bizarre qu'un homme de mon âge, qui pourrait être ton père, vienne te demander conseil. Et pour être honnête, je m'en étonne moi-même.
Mais c'est justement sur le conseil de ma fille, qui te ressemble, que je t'écris. Elle s'appelle Cristina. Elle en avait assez de me voir toujours seul et enfermé à la maison, à m'occuper de choses qu'un retraité comme moi devrait joyeusement ignorer. Alors, il y a six mois, elle m'a passé au téléphone une de ses voisines, une dame gentille et courtoise, qui ensuite m'a appelé tous les jours, pour tromper sa solitude, j'imagine, et nous avons commencé à nous envoyer des photos et à devenir intimes, sans nous être jamais rencontrés. Toute notre histoire est fondée sur cette attente, sur l'envie de nous tenir compagnie et de réaliser bientôt un nouveau projet de vie.
Le mois dernier, j'ai enfin fait sa connaissance chez ma fille, qui avait même acheté mon billet de train et m'avait convaincu de faire ce voyage, chose que, depuis son emménagement à Milan pour ses études, elle n'était jamais parvenue à faire. Ainsi, chez elle, je rencontre enfin cette dame, cette fiancée imaginaire, et je me dis : elle est exactement comme sur les photos qu'elle m'a envoyées, sa voix est bien celle qui me faisait rire au téléphone, peut-être même un peu plus

gracieuse, mais il y a quelque chose, un petit quelque chose qui ne va pas.
Je n'arrive pas à savoir si ce sont les mains, sa façon de les bouger et d'arranger ses cheveux derrière les oreilles, ou si c'est une histoire d'odeur, qui a un fond de tabac froid, chose qui vraiment me déplaît. Je sais seulement qu'à la voir ainsi – et je me suis même placé derrière la porte vitrée du salon pour la voir tout entière, à contre-jour – elle ne me plaît pas. Tout à coup, je n'avais plus rien à lui dire. Mais à ce stade, cela te paraîtra vraiment curieux, mon problème n'est pas de savoir quoi lui dire pour ne pas la blesser, mais de savoir ce que va penser ma fille. Vais-je encore la décevoir ? L'inquiéter et lui faire du mal ?
Mais tu sais, Luce, et je me permets de te tutoyer parce que l'âge m'y autorise, la vie est faite de détails, et ces détails, sa mère les avait. Ce sont eux qui font la différence, rien d'autre. Tout petits, que personne ne remarque, sauf moi. Moi je les remarque, et cela me suffit largement.

Renato

Ma joue est écrasée contre la vitre de la portière. Le flou de la buée qui se forme devant moi est comme le monde que nous sommes en train de traverser. Au lieu d'aller au centre commercial faire les courses comme prévu, nous rentrons chez nous. Je m'accroche aux mots pour tenter de cerner l'absurde, le dompter, le rendre plus familier. *Dysplasie du squelette.* « Dysplasie » sonne comme « néoplasie », mais ce n'est pas la même chose. Ce qui est sûr, c'est qu'il s'agit d'une maladie des os. J'imagine des opérations chirurgicales par dizaines, des bustes, des prothèses, une armada de médecine XIXe siècle. Je ferme les yeux. J'attends l'arrêt de la voiture. J'attends la douleur.

Je ne la sens pas à mon arrivée à la maison lorsque je retrouve tout tel que je l'ai laissé. Le salon plongé dans la pénombre. La porte-fenêtre derrière laquelle le soleil vient de disparaître. Les lettres adressées par les lecteurs de ma rubrique éparpillées sur le sol. L'ordinateur allumé, le prénom de mon fils qui clignote sur l'écran, se déplaçant d'un côté à l'autre comme pour trouver une sortie. Je ne la sens pas en allant à la cuisine boire un verre d'eau. Je jette un œil aux mots écrits sur l'ardoise, la liste des courses, les numéros utiles. Tout est exactement comme avant. Comme avant la dernière échographie.

Je ne trouve pas ma douleur, mais je la guette, comme on cherche un interrupteur pour allumer la lumière. Je reviens au salon, me dirige vers la chambre de Lorenzo, où une odeur de peinture fraîche me prend à la gorge. Il y a un trou dans le plafond, nous n'avons pas monté le plafonnier et la chambre est obscure, mais je peux distinguer la forme de la table à langer, l'étagère Winnie l'Ourson avec des jouets et des petits vêtements empilés aux différents niveaux. Je ne la sens pas encore, tandis qu'une voix continue de me répéter : *Il ne s'est rien passé, ce n'est pas ta vie, ce n'est pas toi. Tu vas bientôt te réveiller et te retrouver dans ton lit, en pleine nuit.* Et pourtant, je regarde autour de moi et je suis toujours là, dans cet endroit inachevé et inhabité, et Pietro est juste derrière moi. Il est cloué sur le seuil et il a l'air effaré.

– Tu veux que nous appelions ta mère ? me demande-t-il en faisant un pas en avant.

Et elle finit par arriver, ma douleur, comme une morsure qui déchire le souffle. Et je la vois. Nul besoin d'allumer la lumière, je la vois partout dans la chambre de mon fils, comme dans la mienne quand j'étais enfant, sur les murs tout juste repeints, dans le berceau encore emballé. Je me laisse tomber dans les bras de Pietro et, un sanglot à la fois, j'essaie de la faire sortir, parce qu'il n'y a plus de place en moi. Lorenzo donne des petits coups, j'ai peur que toute cette douleur ne l'empoisonne lui aussi.

– Non, lui réponds-je, en faisant un effort pour trouver de l'air et en m'essuyant le visage. Appelle tes parents. Je veux refaire l'échographie. Dix fois s'il le faut. Je veux le meilleur spécialiste. Je ne fais plus confiance à personne.

Il est onze heures et demie du soir. Pietro ne s'est pas déshabillé, alors que je suis pieds nus, vêtue d'un pyjama chaud et le ventre enroulé dans un châle de laine. Nous sommes assis dans le salon. Nous avons ouvert la boîte de Pandore que renferment tous les ordinateurs, pour devenir instantanément médecins, scientifiques, experts. Nous surfons sur Internet en quête d'un filet, de quelque chose à quoi l'espoir puisse se raccrocher.

Dysplasie du squelette. Des mots qui, mis ensemble, semblent tellement funestes. Je les inscris dans un moteur de recherche, et ce n'est pas pour écrire un article. C'est pour la vie de mon fils.

Nous sommes le 20 décembre, et sur Internet les publicités et les promotions de Noël sont en plein délire, des animations dans des fenêtres décorées de bougies et de houx s'ouvrent à l'improviste, comme ces vieux jouets à ressort qui jaillissent dès qu'on les touche pour faire peur mais ne parviennent qu'à nous mettre les nerfs à vif, et à nous faire perdre du temps.

La table sur laquelle d'ordinaire nous mangeons est maintenant recouverte des échographies de Lorenzo. Sur la feuille où sont reportées les dernières mesures effectuées, en plus des dates de conception et de terme, figure le détail de la biométrie fœtale avec son cortège de chiffres insensés. Nous savons, d'après ce que nous a dit le médecin, que la longueur des os les plus longs est inférieure au troisième percentile et qu'il y a une altération du profil thoraco-abdominal, ce qui signifie un thorax trop étroit et un abdomen trop proéminent. Pour le reste, seuls quelques points sont clairs : Lorenzo pèse un peu plus d'un kilo, son activité cardiaque est présente, mon placenta et le liquide amniotique sont normaux. Sur cette base, nous traquons une piste à suivre sur le Web comme deux prédateurs en chasse, en passant d'une page à l'autre.

Plus qu'à une mine d'informations, cela ressemble à une décharge dont on n'arrive pas à extraire un concept clair qui ne soit pas contredit par le clic suivant. Puis nous nous accrochons à un document au format PDF qui apparaît comme un phare dans la nuit.

C'est le résultat d'une recherche menée par un médecin de Padoue. Il classe les dysplasies du squelette en deux catégories : les ostéodysplasies létales et les non létales. La seule qui me soit familière est l'achondroplasie. Les personnes qui en sont atteintes sont communément appelées « naines ». On en voit dans des films, des documentaires, au cirque. Il m'arrive très rarement d'en rencontrer dans la rue ou dans les endroits que je fréquente. Je fais appel à la mémoire collective, et cherche dans un réservoir d'images les exemples les plus célèbres. Je choisis les plus rassurants : Arnold, par exemple, le personnage de la célèbre série des années 1980, tellement drôle et brillant. Avec ma souris, je passe directement aux formes non létales de la maladie, j'ai l'esprit engourdi, j'ai l'impression que la terreur que j'éprouve est en train d'abdiquer face à une résignation surréelle.

– Il pourrait être atteint seulement d'achondroplasie, dis-je, comme si mon cerveau avait déjà intégré la tragédie, en se reportant sur la version la plus acceptable.

Mais c'est ce « seulement » qui fait exploser Pietro dans un cri de refus.

– Il pourrait n'être rien de tout ceci ! dit-il en frappant du poing sur la table. Peut-être se sont-ils trompés de date de conception. Ou l'appareil d'échographie dysfonctionnait, ou peut-être que cette conne était bigleuse et qu'elle n'a rien compris !

Puis il se frappe le front avec le poing et se reprend. Il se lève d'un bond et se dirige vers l'entrée.

– J'appelle ma mère, déclare-t-il en empoignant le téléphone comme une arme. Je veux savoir si elle a réussi à prendre un rendez-vous avec Piazza et à quelle heure. Personne mieux que lui ne peut nous expliquer ce qui se passe exactement. C'est le meilleur expert du diagnostic prénatal. Tu as entendu comme moi ce que disait Paggi, ta gynéco, non ? Nous ne devons pas tirer de conclusions hâtives. Même l'échographe nous a conseillé de faire un examen génétique. Tu vois ? C'est écrit noir sur blanc.

Moi je ne vois rien d'écrit noir sur blanc. Le futur est un amalgame de couleurs contrastées. Je ne sens que mon cœur, frénétique comme un tambour tribal, et les coups de Lorenzo, de plus en plus rapprochés, comme s'il voulait me dire quelque chose. En morse.

La conversation entre Pietro et sa mère me parvient par bribes. Je suis concentrée sur le texte du médecin de Padoue, et je relève le fait que dans presque toutes les formes létales figurent la micromélie et l'hypoplasie du thorax. J'ai étudié le grec au lycée et je sais ce que cela signifie : plus ou moins ce qui ressort des mesures de l'échographie de Lorenzo. Je m'arrête aux cas les moins graves. L'hypoplasie du thorax se retrouve aussi dans deux formes non létales : la dysplasie du thorax asphyxiante et celle dite chondro-ectodermique, mais avec d'autres caractéristiques qui n'apparaissent pas dans le cas de mon fils. Je parcours convulsivement les paragraphes et, dans les deux cas, je découvre une chance de survie inférieure à quarante pour cent. Les achondroplasiques présentent des caractéristiques différentes, mais même là, les statistiques s'engouffrent dans des prévisions dramatiques : *survie et performance intellectuelle normales, complications orthopédiques et pulmonaires à long terme*. Et il n'est pas dit qu'ils parviennent à dépasser le stade de l'enfance.

Dans les cas de personnes souffrant de dysplasie du squelette qui arrivent à l'âge adulte, il n'existe pas de thérapie. Seulement des opérations douloureuses et compliquées pour faire atteindre aux patients une stature acceptable. Car ce sont eux qui doivent s'adapter aux dimensions du monde, et non l'inverse. Ce sont eux qui doivent transformer les gestes quotidiens les plus banals en une acrobatie pour le corps et pour l'esprit.

La majeure partie des pathologies rares porte le nom de ceux qui ont vécu en en étant porteurs, même si cela a duré peu de temps. Je me demande si un jour, dans un volume de médecine, se trouvera l'entrée « maladie de Lorenzo », pour évoquer une existence unique et dont il n'existait pas de description auparavant.

Moi qui voulais un enfant particulier, et négociais avec Dieu pour l'obtenir. Je ne veux pas d'un mouton qui suive le troupeau, je veux qu'il se distingue, et qu'il réfléchisse avec sa propre tête. Beau ou laid, grand ou petit, hétéro ou homo, ça n'a pas d'importance. Je veux qu'il soit particulier, et avec un cœur immense. Avec la force de Pietro et sans toutes mes incertitudes.

Je crois que Dieu, ce jour-là, n'était pas disposé à des négociations. Ou qu'Il m'a mal comprise.

J'essaie de sortir de ce document, ce qui se révèle plus difficile que d'un labyrinthe. D'un lien à l'autre, je me retrouve à errer dans un forum, dans des bribes de discussions et de théories improbables liées à la consommation de médicaments pendant la grossesse et au manque d'assimilation du calcium qui peut en être consécutif.

J'ai un réflexe conditionné. Je cours sans m'en rendre compte. Je me précipite dans la cuisine, j'ouvre le frigo et saisis une bouteille de lait.

Tu n'as pas eu assez de calcium ? C'est pour ça que tu t'es arrêté ? Je crie en moi-même, en fondant en larmes, et j'engloutis toute la quantité de lait possible. Le liquide coule aux coins de ma bouche, se mêlant aux larmes et à la transpiration. Je bois sans reprendre ma respiration.

En vingt-neuf semaines et deux jours, je n'ai pris que cinq cachets de paracétamol. Ils étaient nécessaires. Quand le mal de tête me paralysait au lit, ma gynéco me rabrouait : « Ne soyez pas ridicule, un cachet de Doliprane ne vous fera aucun mal. » Quand, au sixième mois, une dent de sagesse est apparue et que je me faisais des pansements avec un coton imbibé de vodka, j'ai appelé le numéro vert de « Médicaments pendant la grossesse » à six heures du matin : « Prenez donc un cachet, si vous avez si mal. Même pour votre enfant, c'est mieux, non ? » J'ai consciencieusement pris tous les jours les vitamines recommandées, moi qui oubliais de prendre la pilule au moins trois ou quatre fois par mois. Par peur de la toxoplasmose, je n'ai pas mangé de saucisson et j'ai lavé les salades et les légumes, même si sur le sachet figurait la mention « déjà lavé ». Et par peur de la rubéole et du cytomégalovirus, j'évitais les foules et les réunions d'enfants. Je me suis bourrée de fer et d'acide folique quand, au début du troisième mois, le taux d'hémoglobine a chuté d'un coup, et que ma gynéco, en parlant avec l'hématologue, commentait : « C'est curieux, ça ne s'explique pas, il est trop tôt pour qu'il chute comme ça. Prenez deux Ferrograd par jour, je crois que c'est le maximum que votre corps puisse supporter. » Mais peut-être une explication existait-elle pour ce déséquilibre, et que nous n'étions pas alors en mesure de la comprendre. Et si ce n'était pas le fer que mon organisme n'avait pas été capable de supporter ? Et s'il m'avait envoyé une sorte de signal ? Le corps sait tout, et mon corps savait qu'en moi Lorenzo ne grandissait pas.

Je m'accroche à la bouteille de lait comme à une lymphe vitale. Une réserve inépuisable de calcium capable de lui donner la bonne impulsion, de secouer ses petits os fragiles, déjà fatigués. De le faire grandir en quelques minutes.

Allez, réveille-toi, il faut grandir, sinon ce monde-là va te dévorer. Je t'en prie, Lorenzo, fais-le pour moi. On ne se connaît pas et tu ne sais pas le peu de forces que j'ai, le peu de courage. Je vais être anéantie si je te vois souffrir, et je vais te cacher, te mettre à l'abri. Je ne laisserai personne te toucher et te faire du mal, mais je t'en prie, grandis. Sinon je meurs.

Pietro entre dans la cuisine. Son kit « mains libres » pendouille entre ses doigts. Il est satisfait, et ne comprend pas immédiatement la scène qui se déroule devant lui.

– Le rendez-vous avec le Dr Piazza est à neuf heures demain matin, m'annonce-t-il. Il nous fait passer en premier.

Je ne m'arrête pas de boire, ne lui réponds même pas.

– Qu'est-ce que tu fais ?

– Peut-être que je ne lui ai pas donné assez de calcium, dis-je en marmonnant et en jetant la bouteille vide à la poubelle.

J'ai des fourmis dans les lèvres et je réprime un rot. Je m'essuie du revers de la manche, je tremble. Pietro me regarde, incrédule. Je me mets à courir vers la salle de bains, me prends le pied dans mon châle, évite la chute *in extremis* en m'appuyant sur la table. Je repars en courant. Les mains devant la bouche pour retenir le vomissement qui jaillit violemment. Jusqu'à ce que je m'agrippe aux toilettes et sois contrainte de capituler. Lait et sucs gastriques forment une cascade qui me vide, me fait frissonner, finit par me libérer. J'attends de me calmer, puis je caresse mon ventre. À mi-voix, je le gronde.

– Tu dois en accepter plus. Pourquoi tu n'en veux pas, hein ? Tu t'en fiches complètement de comment tu vas venir au monde ?

Dans notre chambre à coucher, face à la porte de la salle de bains, se trouve un tapis d'Aubusson. Je l'avais déjà dans mon logement d'étudiante. Chaque pétale de fleur renferme un souvenir. La première fois que Pietro et moi avons fait l'amour, c'était là, sur ce tapis. Et puis un jour, il y a quelques années, pendant que je dévissais un pot de peinture, celui-ci m'a échappé des mains et s'est renversé par terre. J'ai essayé de laver les éclaboussures et les taches bleues, mais je n'ai fait qu'empirer la situation. Pietro n'a jamais voulu de ce tapis, il trouve qu'il ne s'accorde pas avec la pièce. Il m'a souvent demandé de nous en débarrasser, mais quand je suis déterminée, je suis un véritable mur face auquel il est inutile d'insister. Avec ses taches et ses nuances de bleu, ce tissu de laine est pour moi une œuvre d'art. Un de nos amis qui tient une galerie affirme que c'est ce qui le rend unique, et que oui, il est comme un coup de poing dans l'œil, de même que le tableau de Bonalumi derrière le lit et la sculpture de Mattiacci à côté de l'armoire.

Pietro vient me relever du sol de la salle de bains, nous titubons et allons nous recroqueviller sur notre tapis. Je sens Pietro contre mon dos, il me recouvre comme une carapace. Nous restons dans cette position, encastrés, abattus. Il me souffle à l'oreille : « Nous allons y arriver, je te le promets », puis il m'embrasse. Il embrasse ma bouche qui a un goût de lait caillé, mes cheveux, ma peau en nage.

Je me dis que le jour où mon fils naîtra je le regarderai comme je regarde ce tapis. Je ne voulais pas qu'il soit taché et je ferais tout pour le nettoyer. Peut-être est-ce vrai que c'est ce qui le rend unique, un coup de poing dans l'œil comme tant d'œuvres d'art. Ou peut-être n'est-ce qu'un tapis très abîmé. En tout cas, moi, je ne le déplacerai pas.

Je suis allée à la piscine pendant plusieurs années et jusqu'au quatrième mois de grossesse. Je nageais et suivais un cours d'aquagym. C'était mon exutoire quotidien. L'eau emporte les pensées, même les plus insistantes.

L'air, saturé de chlore, était étouffant. Quand j'ai appris que j'étais enceinte, je ne me suis autorisé que quelques brasses de temps en temps, et quand je sentais mon cœur battre trop vite, je m'arrêtais.

Du bord du bassin, j'observais alors les vagues bleu ciel refléter mon image trouble et sans visage. J'enfilais mes lunettes de nage et je me laissais aller comme un corps mort dans le couloir réservé aux nageurs les plus lents. L'eau atténuait tous les sons. C'était comme se débrancher du monde. Seule ma respiration existait, la myriade de petites bulles qui me sortait du nez pour me chatouiller le cou et les joues.

Quand je trouvais mon rythme, en suivant le flot d'inoffensives pensées, je restais sur la droite, au risque de me prendre dans les bouées et de me retrouver toute griffée. La seule idée d'effleurer le corps des autres nageurs dans ma file me déplaisait profondément. C'est pourquoi j'ai toujours choisi les heures les plus improbables, comme le matin très tôt. La piscine a le pouvoir de me rendre encore plus indifférente envers le genre humain. Pour continuer à nager, je devais ignorer les autres. Ne pas penser à leur transpiration, à leur salive, aux crèmes, au gras des cheveux et de la peau qui s'écoulent et se mêlent à l'eau. Je devais faire semblant d'être seule.

Très souvent, après ma séance de natation, quand mon cœur me disait : « Ralentis, tu as trente-cinq ans, et ton espèce voudrait que ses enfants soient faits à vingt ans », je rencontrais Teodoro, un homme atteint de trisomie 21. Tout le monde s'adressait à lui comme s'il s'agissait d'un enfant, moi y compris, alors que nous avions plus ou moins le même âge.

Il avait le béguin pour moi. Il pouvait rester de longues minutes à me regarder, la bouche entrouverte. Et si je m'en apercevais, il tordait immédiatement le visage dans une grimace qui, les premières fois, m'avait paru forcée et peu naturelle, mais que, avec le temps, j'avais appris à reconnaître : c'était sa façon de sourire au monde, en contractant instinctivement tous les muscles de son visage.

Il arrivait que nous nagions dans le même couloir et, alors, je devais faire abstraction de son nez coulant en permanence et de sa bouche semblant incapable de retenir la salive. À son égard, mon dégoût m'apparaissait injuste et inapproprié. Mais quand vraiment je ne parvenais pas à le dépasser, je bondissais hors de l'eau et m'asseyais sur le bord. Nous nous mettions à discuter de tout et de rien, et je prétextais que j'étais déjà fatiguée ou que l'eau était trop froide pour moi.

Quand Lorenzo a commencé à pousser sous mon maillot de bain, Teodoro s'est mis à regarder mon ventre avec une expression d'accablement.

Un jour de la fin de l'été, il a pris son courage à deux mains pour me demander :

– Ce n'est pas que tu as trop mangé, n'est-ce pas ?

Je lui ai adressé un sourire tendre et désolé. J'étais à un autre homme, mais si j'avais été libre, je n'aurais jamais été à lui.

– C'est une fille ou un garçon ?

– On m'a dit que c'est peut-être un garçon.

– Et comment vas-tu l'appeler ?

Il avait cette façon directe et sincère de poser des questions, même les plus intimes.

– Lorenzo.

– Tu l'aimes bien ?

– Qui ?

– Lorenzo.

– Le prénom me plaît beaucoup, et lui, je ne l'ai pas encore vu.

– Mais tu n'es pas mariée, tu n'as pas d'alliance.

– C'est vrai, je ne suis pas mariée.

– Mais tu aimes bien quelqu'un.

– Disons que le père de Lorenzo et moi, nous nous aimons beaucoup.

– Mais tu ne l'aimes pas.

– Si. Si, je l'aime.

Je n'ai jamais voulu lui donner de quelconque espoir, mais je voulais qu'il croie que je le trouvais attirant. Et d'un certain côté, c'était vrai. Personne ne m'a jamais regardée comme Teodoro le faisait. Son regard intense, analytique, n'avait rien de l'innocence d'un enfant.

J'ai toujours détesté le chlore de la piscine qui me desséchait les cheveux, et le choc brutal de l'eau le matin de bonne heure, quand j'étais encore à moitié assoupie. Je détestais devoir dire bonjour à tout le monde et tenir des semblants de conversation avec des inconnus, comme si les lecteurs de ma rubrique à qui je devais répondre n'étaient pas déjà assez nombreux, de même que les personnages les plus incongrus que je devais interviewer.

Je détestais le sauna, les bains turcs, le sol mouillé où je risquais toujours de glisser et de me casser le cou. Je détestais le fait que parfois, l'hiver, les responsables de la piscine omettaient d'allumer le chauffage. Mais plus que tout, je détestais Nadia, ma voisine de vestiaire, qui dès qu'elle me voyait m'assaillait de ses bavardages et de potins.

– Mais tu as vu comment il te regarde, Teodoro ?

Le plus souvent, je l'écoutais à peine, et ne lui répondais pas.

– Luce, excuse-moi... Mais tu penses qu'ils ont les mêmes pulsions que nous ?

Je l'ignorais, horrifiée.

– Parce que tu vois, je comprends qu'entre eux ils puissent se mettre ensemble, mais s'ils ne rencontrent personne qui leur plaise, comment font-ils ? Je veux dire, lui, le pauvre. Même si j'ai lu quelque part qu'ils sont stériles. Cinquante pour cent des femmes et tous les hommes. Tu vois, la nature commet une erreur, mais ensuite d'une certaine façon elle cherche à réparer.

Ce jour-là, je l'ai regardée droit dans les yeux et, poussée par un élan rageur de pédagogie, il m'a semblé juste de lui remettre les idées en place :

– Teodoro vient de se séparer de sa copine, et il en trouvera certainement une autre. Il a aussi un travail. C'est un garçon très bien. S'il t'arrivait de lui parler de temps en temps, tu poserais moins de questions inutiles.

Nadia ne savait rien de moi et ne pouvait soupçonner que derrière la fille réservée avec laquelle elle partageait les douches se trouvait une journaliste habituée par son métier à l'écoute. Mais elle savait que j'étais enceinte, mon ventre était désormais tellement évident qu'il aurait été idiot de le faire passer pour des ballonnements. Et mon seul point à découvert était aussi le seul où elle puisse frapper.

Sans surprise donc, elle a réagi de manière sournoise et agressive, comme on peut s'y attendre de la part d'une femme de quarante-cinq ans qui raconte à ses camarades de l'aquagym combien de fois par mois elle cocufie son mari.

– Tu sais qu'aujourd'hui, grâce à l'amniocentèse, tu peux savoir si ton enfant est atteint de trisomie 21 ? a-t-elle lancé, désignant furtivement mon ventre, juste le temps suffisant pour déclencher en moi une bouffée de nausée. Tu vas le faire ? a-t-elle ajouté, insatisfaite. Après trente-cinq ans, tu es remboursée par la Sécu, on ne te l'a pas dit ?

– Nous y réfléchissons, lui ai-je répondu, en fourrant en vitesse mes affaires dans mon sac de toile : peignoir, maillot une pièce, deux serviettes, tongs et gel douche.

– Si on veut le faire, c'est pour savoir. Et si on veut savoir, c'est pour avoir la possibilité de choisir, n'est-ce pas ?

– Ou de se préparer à l'avenir, ai-je répliqué, en fermant d'un geste la fermeture Éclair de mon sac, et m'apprêtant à sortir du vestiaire avec les cheveux encore mouillés.

– On ne peut pas se préparer à une chose pareille, a commenté Nadia, en pinçant les lèvres dans un ricanement satisfait.

Ce n'était pas que la cruauté qui inspirait ses propos. Mais quelque chose de plus. Quelque chose de terrible, et peut-être de terriblement humain. Une sorte de tabou sur lequel, il y a des siècles, a été posé le sceau de l'indicible, parce qu'il risquait de nous révéler à nous-mêmes notre nature profonde. Une vérité qui nous aurait empêchés de nous développer, d'apprendre à mentir, et de vivre ensemble dans des sociétés civilisées. Bien que choisis pour heurter les sentiments d'une femme enceinte, les mots de Nadia venaient de loin, de l'origine du temps.

Ils étaient emprisonnés dans l'ambre, inscrits dans la roche comme un fossile. Ils étaient la préhistoire, hier, l'instant d'avant.

Pendant que j'enfilais ma veste, elle a voulu porter un dernier coup.

– Je ne peux pas imaginer, a-t-elle susurré, que l'on supprime la vie à une créature comme Teodoro.

Je sentais ma gorge et mes joues fourmiller, et j'éprouvais du dégoût pour l'expression d'affliction feinte qu'elle affichait. Pour ses ongles longs, taillés en pointe, vernis couleur de pruneau. Pour ses maillots de bain de marque et son bonnet de plastique blanc en forme de bouquet. Pour son maquillage excessif et résistant à l'eau.

– C'est difficile d'imaginer un enfant qui n'est jamais venu au monde, ai-je conclu, avant de me retourner sans lui dire au revoir et de me diriger vers la sortie. Déçue de n'avoir pas trouvé de meilleure repartie, moi qui passe mon temps à faire entrer le maximum d'informations sur une vie dans quelques phrases lapidaires. Où étaient passés ma subtilité, mon regard aiguisé, mon sens de l'humour ?

J'ai franchi la porte des vestiaires avec l'estomac complètement noué. J'ai gravi les marches qui menaient dans le hall et salué d'un geste la femme à la caisse. L'air, à l'extérieur de ce bâtiment gris et rectangulaire, était humide et étouffant. Hâtant le pas vers ma voiture, j'ai enveloppé mes cheveux dans ma capuche. Une fois assise à bord, j'ai respiré à fond, et j'ai senti une douleur atavique se réveiller au fond de mon corps, se propager vers l'utérus, et augmenter jusqu'à devenir une série de petites contractions. De brefs petits attentats répétés qui ont créé plus de peur que de réelle souffrance. Le lendemain, ma gynéco m'a interdit tout effort inutile, et c'est ainsi que ce devint mon dernier jour de piscine.

S'il est vrai que les lieux en disent long sur ceux qui y vivent, le cabinet du Dr Piazza est le témoignage d'une carrière illustre, ponctuée de rencontres mémorables, de bénédictions papales et de reconnaissances prestigieuses. Celui d'une famille nombreuse, aussi : une compagne aux cheveux blonds et vaporeux, vouant une véritable passion aux tailleurs et aux beaux bijoux ; trois enfants désormais adultes, deux garçons et une fille, beaux et souriants devant l'objectif du photographe le jour de leur remise de diplôme. Le regard du Dr Piazza, en revanche, n'est pas très éloquent. Quand il éteint son appareil d'échographie et l'éloigne de mon ventre, il ne laisse échapper qu'un bougonnement, qui pourrait dire tout et son contraire.

Il a maintenant repris sa place derrière son bureau en bois de noix, sur lequel, en plus des photos de famille, trône une lampe de style Liberty. Derrière le bureau et tout le long du mur se déploie une bibliothèque qui met en valeur d'élégants volumes reliés et des bustes en plâtre de philosophes grecs. Le Dr Piazza est penché sur le sous-main noir où se trouvent mon dossier médical, ainsi qu'un stylo-bille et un petit agenda bien épais. Il a une soixantaine d'années, un physique mince et de minuscules lunettes. Une mèche de cheveux très fins recouvre de droite à gauche son crâne chauve et brillant. Il va et vient plusieurs fois, du début à la fin, dans la documentation médicale qu'il a sous les yeux.

Nous n'avons pas dormi de la nuit. À l'aube, le soleil est venu nous débusquer dans notre lit, anxieux et éveillés. Maintenant, je souffre d'une migraine lancinante, une douleur aiguë qui lance contre ma tempe droite. Mes mains sont immobiles sur mon ventre. Lorenzo n'est pas tranquille, il n'arrête pas de bouger dans tous les sens. Une partie de moi voudrait ne pas le sentir. Une partie de moi voudrait ne plus exister.

Avec nous se trouve aussi Matilde, la mère de Pietro. Le visage tiré et les cheveux sombres, tenus par un chignon sévère. Elle n'a pas bougé depuis au moins dix minutes, comme pétrifiée dans son tailleur de soie gris anthracite. Ce matin, elle m'a dit bonjour d'un signe de tête, sans rien ajouter. Pietro soutient qu'elle est sous le choc à l'idée de nous voir souffrir, mais en ce qui concerne sa mère, on ne peut pas dire qu'il soit une source fiable. J'ai l'impression quant à moi que les gestes de Matilde ne sont le signe que d'une indifférence glaciale, restant formels et élégants même au beau milieu d'une catastrophe. Elle me déteste probablement. Il est inutile de prétendre le contraire, je sais qu'elle ne m'a jamais trouvée à la hauteur. Moi je sais qu'elle m'impute la faute de tout.

Le Dr Piazza et Matilde se connaissent par l'intermédiaire d'amis communs. Cela explique sa présence et que le secrétariat nous ait accordé le premier rendez-vous de la matinée. Mais tous les deux ont réduit les formules de convention au strict minimum, quelques phrases toutes faites, vu la gravité de la situation.

Qu'elle soit grave, à cet instant précis, plus personne n'en doute. Pas même le Dr Piazza qui, après les nombreuses vérifications effectuées, ne peut que nous confirmer ce qu'avait relevé le Dr Paggi, ma gynécologue. Quand il a enfin terminé de lire et qu'il reporte son attention sur nous, en substance, le discours est le même, seule la façon de l'exprimer a changé.

– Madame, commence-t-il d'une voix placée dans le registre « mauvaise nouvelle », comme s'il suivait un scénario bien rodé par des années d'expérience. Votre enfant est atteint de façon certaine d'une forme de dysplasie du squelette. Cependant, il est à ce stade quasiment impossible d'être en mesure de comprendre de quoi il s'agit exactement et d'en prévoir le développement. Le bébé présente un retard de croissance significatif, surtout en ce qui concerne les os longs. Même si nous voulions refaire un nouvel examen invasif, celui-ci pourrait se révéler inutile. En effet, les pathologies de ce genre sont très nombreuses et la science ne les connaît pas toutes. D'autant que, poursuit-il en désignant mon dossier médical, d'après ce que je vois, vous avez déjà réalisé une amniocentèse complète qui n'a révélé aucune anomalie.

Le Dr Piazza parle, et moi je fixe le grain de beauté qu'il a au coin de la bouche. On dirait qu'il est en équilibre, comme moi. Je me concentre sur les détails pour ne pas devenir folle. Pietro me serre la main sans savoir que c'est comme s'il était en train d'appuyer sur un interrupteur. Sa pression me permet de rester lucide. Allumée.

Ma belle-mère intervient.

– Et cela ne pouvait-il pas se savoir dès l'amniocentèse ?

– Les investigations prénatales ne peuvent identifier qu'un certain nombre de pathologies, explique Piazza. En l'absence d'antécédents familiaux, les dysplasies, comme d'autres malformations congénitales, peuvent n'être identifiées à l'échographie que bien après la vingtième semaine, même parfois autour de la trentième, ou bien ne montrer des signes cliniques que progressivement, au cours de la vie. C'est pourquoi à l'échographie de morphologie tous les résultats sont apparus dans la norme.

– Vous êtes donc en train de nous confirmer que cet enfant ne sera pas normal ?

– *Normal*..., répète le docteur, en se plaçant sur la tonalité « être rassurant » sans pour autant faillir. « Normal » n'est pas un mot en mesure de définir la complexité de l'être humain. Certains individus atteints d'achondroplasie se révèlent plus intelligents que la moyenne, par exemple. C'est une donnée de fait.

– Est-ce bien de nanisme qu'il s'agit ? insiste ma belle-mère en plissant le front.

Le Dr Piazza déplace son stylo-bille, le repose à côté de son agenda, il semble impassible.

– Cela pourrait en avoir les caractéristiques, lui répond-il. Comme je vous l'ai déjà dit, les formes pathologiques de ce genre connues à ce jour, autosomiques dominantes, dans votre cas non héréditaires mais dues à une mutation génétique *ex nihilo*, sont très nombreuses. Combien de temps et comment il vivra, si apparaîtront des complications relatives à l'ouïe, à la vue ou au développement neurologique et à celui du langage, personne n'est en mesure de le savoir. Nous ne pouvons procéder que par hypothèse, nous n'avons pas de boule de cristal.

La boule de cristal. Une métaphore proverbiale et magique dont l'emploi par un spécialiste est vraiment insupportable. Et le fait qu'il parle au pluriel l'est tout autant, tant il signifie que les conséquences de son discours ne sont pas vouées à disparaître lorsque nous aurons franchi la lourde porte de son cabinet. Peut-être que ce choix fait aussi partie de ce scénario bien rodé. Ma belle-mère serre les lèvres dans un pli artificiel, reprend sa forme de statue de cire et son quant-à-soi. À l'inverse de moi, qui suis sur le point de sombrer dans des eaux abyssales. Contrairement à elle et au Dr Piazza, j'ai perdu tout repère, je navigue à vue.

– Et donc ? demande Pietro, retenant son mouvement de panique silencieuse.

Quelque chose d'ineffable dans cette situation échappe à son entendement. Au mien aussi. Mais moi, je fais semblant d'être ailleurs. Je suis passée du grain de beauté sur la bouche au cadre argenté sur son bureau, qui entoure les trois enfants du médecin. Les détails me distraient. Tant que je peux suivre les motifs sculptés, les angles arrondis, le chevalet en velours, je peux supporter tous les mots. Je suis sauve.

– Dans deux semaines, nous allons refaire une échographie, nous annonce-t-il, sur le ton de « voyons ce qu'il reste à faire ». Nous devons espérer une reprise. Mais je tiens à être très clair avec vous : si l'hypoplasie thoracique ne se stabilise pas, les chances de survie de votre enfant à la naissance sont très faibles.

Je voudrais m'en aller. Je pense à ma grand-mère. Je me demande si ce n'est pas une chance pour elle que de vivre dans un monde imaginaire. Je ne sais plus quoi faire. J'ai la nausée, ma tempe droite pulse, j'ai peur qu'ils voient tous que mon corps est ravagé par un séisme intérieur. *Pense*, me dis-je, *réfléchis. Attrape n'importe quelle idée et développe-la. Sauve-toi.*

Voilà, je suis la protagoniste d'une des lettres que je reçois, je suis un de mes lecteurs. Ce n'est pas ma vie, mais une des infinies histoires apocalyptiques qu'on m'a racontées au fil des années : *Mon fils est tombé en scooter... Les médecins disent qu'il ne marchera peut-être plus jamais. C'est dur, je ne sais pas quoi faire... il s'agirait d'Alzheimer. Je lui parle et elle ne me répond pas. Elle ne reconnaît même plus ses propres enfants. L'État ne m'a pas encore versé ma pension d'invalidité et les versements ne sont pas rétroactifs. Comment faire pour couvrir toutes les dépenses ? Vous, que feriez-vous à ma place ?* Pendant combien de temps me suis-je confrontée à ce genre de situations avec le détachement du Dr Piazza ? Je pesais mes mots, consciente de leur pouvoir d'évocation, avec la même prudence et la même souplesse qu'un médecin qui fait étalage d'un lexique spécialisé. Je voulais faire impression, non pas tant sur mon interlocuteur que sur le public en général, sur moi-même. Je contrôlais la ponctuation, je remplaçais, je rabotais, jusqu'à trouver la meilleure réponse. Meilleure dans le sens de plus originale, précise, lumineuse. Maintenant je sais qu'il n'y a pas de réponse. Je voudrais composer la phrase juste à m'envoyer à moi-même. Y mettre des points, des virgules, une citation peut-être. Donner un sens à ce qui ne peut en avoir. Mais ne me parviennent que des pensées sans grammaire, des lambeaux de logique, des débris de mots naufragés qui dérivent dans ma tête.

– Je ne peux pas vous suggérer une interruption de grossesse, poursuit le Dr Piazza en croisant les bras, dans un geste de fermeture définitive. Même si l'état du fœtus pouvait se révéler incompatible avec la vie. En Italie, elle n'est autorisée que jusqu'à la vingt-troisième semaine de grossesse, pas au-delà.

– Qu'est-ce que cela veut dire ? demande encore Pietro, tout en me serrant fort la main.

– Si nous étions dans le délai autorisé par la loi, je pourrais vous proposer un accouchement anticipé. À la vingt-troisième semaine et dans ces conditions, le fœtus n'y survivrait pas. Nous sommes en train de parler d'un avortement dit thérapeutique ou eugénique. Mais dans votre cas, nous sommes bien au-delà des délais autorisés.

Il parle encore au pluriel. Cette fois-ci de survie, de lois et de délais. Mais il se trompe sur le pronom personnel, il n'y a pas de « nous » dans cette pièce. Ou peut-être que si ; « nous », c'est Lorenzo et moi.

– Soyez plus clair, l'exhorte Pietro, pâle et déglutissant avec peine, agité sur sa chaise, non pas comme sa mère qui garde la tête haute et le dos raide. Ces maladies tellement graves et incompatibles avec la vie ne peuvent être diagnostiquées qu'à un stade très avancé de la grossesse, et cependant à ce stade il est interdit de l'interrompre ?

– « Interruption », dans ce pays, signifie la possibilité d'un accouchement anticipé. La limite est définie par l'autonomie du fœtus par rapport au ventre maternel. Un fœtus de vingt-trois, voire vingt-quatre semaines ne peut survivre en dehors de l'utérus et peut donc être avorté.

Le docteur nous regarde, peut-être dans l'attente d'une réponse. Mais nous sommes tous les trois bouche bée.

– Pour être honnête, reprend-il comme s'il se sentait en devoir de préciser, il y a eu des cas dans lesquels les fœtus avortés ont quand même survécu, parce que les techniques d'assistance néonatale progressent d'année en année, et que de par la loi un médecin a le devoir de les mettre en pratique en cas de besoin. Un fœtus avorté qui survit est cependant un fœtus avec une pathologie grave à laquelle s'ajoute une série de problématiques liées au fait qu'il est né avant terme, pour vous le dire en termes clairs. C'est la raison pour laquelle, au niveau parlementaire, on réfléchit à l'abaissement de ce délai légal à vingt-deux semaines.

Je suis submergée de flashs et de visions d'enfants microscopiques et malades obligés de venir au monde, uniquement pour prendre leur première et dernière respiration. Ou qui réussissent à survivre à l'accouchement, et grandissent isolés, mal nourris, dans une couveuse, un ventre en plastique, aseptisé et rigide, qui les accueille au lieu de les répudier.

– Nous sommes à la vingt-neuvième semaine, résume Pietro, en serrant ma main encore plus fort. Nous avons encore deux gros mois devant nous. Mais vous êtes en train de me dire que mon fils pourrait ne pas vivre, ou bien, à ce que j'ai compris, avoir une vie brève, douloureuse, avec des retards cérébraux ou, pire, un quotient intellectuel au-dessus de la norme ?

– Je sais.

– Et donc ? le bouscule Pietro, les yeux fixés sur lui.

La panique se métamorphose en colère et en défi. Il laisse ma main, je sens sa prise se défaire un doigt après l'autre. L'interrupteur se déclenche, la migraine me brise la boîte crânienne. Je deviens folle. Je m'éteins.

– Et alors, répète le Dr Piazza en arquant les sourcils, c'est la volonté de Dieu qui s'accomplira.

Dieu et la science médicale ont tous deux le pouvoir de déterminer le sort d'une vie. Mais il ne fait pas de doute que, dans le bien et le mal, les intentions de la science sont plus claires, et le pouvoir de Dieu, infiniment plus grand.

Je me suis souvent demandé si, dans le monde de Dieu, ma grand-mère devrait continuer à prendre de la cortisone, des pilules pour le cœur et la pression artérielle, alors qu'aujourd'hui son corps est comme resté en retrait, et que sa tête est déjà partie ailleurs. Nous sommes appelés à prendre soin d'elle jusqu'à la fin et à la retenir dans ce monde de toutes nos forces, mais par qui ?

Je ne sais pas si, dans le monde de Dieu, sont prévues les chimiothérapies, les tests d'ovulation, les couveuses, les sondes et les greffes. Chaque fois que je me suis bourrée de fer pour faire remonter mon taux d'hémoglobine et éviter le risque d'une transfusion au moment de l'accouchement, je me suis demandé si mon fils et moi aurions été capables de nous défendre au milieu de la jungle. De même qu'au quatrième mois je me suis demandé si dans le monde de Dieu il serait permis à une aiguille de dix centimètres de perforer un utérus pour prélever quinze millilitres de liquide amniotique dans un but diagnostique, ou si j'aurais pu voir, en couleurs et en trois dimensions, le petit corps de mon fils cinq mois avant le terme défini par la vie.

Je ne voulais pas faire d'amniocentèse. J'ai dit à Pietro :

– Laissons-nous surprendre, comme c'était le cas autrefois.

Mais sur ce point sa décision était sans appel. Pietro lui-même, qui est pourtant le plus croyant de nous deux, voulait reconnaître à la science le pouvoir de poser toutes les questions et de nous fournir toutes les réponses possibles. C'est ainsi qu'avec la même détermination qui le distingue dans son travail il a repoussé toutes les objections :

– Nous sommes deux dans cette histoire, a-t-il argué. Nous avons toujours été deux depuis le début. Et moi je veux savoir. Je veux tout savoir.

Nous nous sommes rendus au centre d'analyses un matin de septembre, sous un ciel bleu intense et dans l'air encore chaud de la fin de l'été. Nous étions déjà informés du protocole à suivre. Mais avant de signer le document de consentement, nous devions approfondir les modalités et les implications de cet examen.

Au comptoir des admissions, une secrétaire nonchalante, qui tapait sur le clavier de son ordinateur avec des ongles arqués et endurcis par un vernis brillant, nous a exposé les risques et les bénéfices du prélèvement invasif auquel je m'apprêtais à me soumettre. Pietro lui a communiqué nos coordonnées et nos antécédents familiaux, du moins ceux que nous connaissions. Le prix de l'examen varie en fonction des maladies que l'on veut rechercher. Le « package » traditionnel comprend les maladies les plus communes, de la trisomie 21 à la mucoviscidose. Mais si l'on veut pousser plus loin, vers un examen moléculaire ou l'étude de l'ADN pour savoir si le fœtus peut être atteint d'autres pathologies, le prix augmente sensiblement. Le marché des diagnostics prénatals. Syndromes incurables vendus au détail. Capables de changer le cours d'une vie, comme les manettes d'un flipper qui empêchent la boule d'acier de s'engager sur le plan incliné et de finir dans le précipice. Pietro n'avait pas l'intention de mégoter sur les dépenses et a revendiqué les examens les plus approfondis, le « package » complet. Je ne sais pas si cela serait permis, dans le monde de Dieu.

J'ai traversé un couloir de linoléum vert menthe et je suis entrée dans une vaste salle équipée d'un appareil d'échographie et d'un lit de cuir blanc en son centre.

Le médecin inspirait la confiance. Les cheveux en bataille, les yeux bleus et doux. Il avait l'air de ceux que le bouche-à-oreille entre gestatrices chanceuses a hissés jusqu'à la gloire. Il nous a accueillis accompagné de son assistante. Tous deux endossaient une de ces tenues blanches impeccables, entre l'habit de soirée et la gabardine. Le médecin m'a présenté à nouveau le protocole de façon synthétique et d'un ton assuré, en survolant négligemment les éventuelles complications mortelles. Pendant ce temps, l'assistante a recouvert le lit d'examen d'une feuille de papier absorbant et m'a fait signe de m'y allonger. Je me souviens d'avoir obéi avec la même crainte résignée qu'un agneau sacrificiel.

Ça sentait la Bétadine, il faisait froid.

Le gel était froid, la sonde était froide, de même que les mains du médecin.

Je tenais mon regard loin de l'écran d'échographie et de l'assistante qui retirait une longue seringue de son emballage plastique. Sur les murs baignés de lumière au néon, au-dessus du meuble de métal, était accrochée la photographie d'un fœtus. Là, il était impossible d'oublier cette pensée, ce zéro virgule sept pour cent de risque d'avortement que nous étions en train de courir. Juste pour être sûrs qu'il était en bonne santé.

Le temps semblait ne pas passer, s'être figé. Puis il a repris son cours, et mon fils est apparu sur l'écran de l'échographie, recroquevillé sur lui-même. Il était plus grand que la dernière fois. Je l'ai regardé avec un sentiment d'étrangeté, comme si ce n'était pas moi qui étais concernée mais qu'il s'agissait d'une image diffusée par la télévision. J'ai toujours employé le détachement comme arme de défense. Il me sert à retrouver l'équilibre. Le médecin a émis l'hypothèse que l'enfant soit un garçon. L'assistante lui a apporté la seringue. J'avais envie de me lever et de m'enfuir. Mais je suis restée comme collée au lit, à ma place, tandis que la ouate laissait une nouvelle sensation de froid sur ma peau et que l'aiguille pénétrait mon épiderme en se faisant un chemin vers le ventre. Quelques secondes, puis l'aiguille est ressortie avec la même facilité qu'elle était entrée, emportant avec elle quinze millilitres de science et de mystère.

Sur le mur qui me faisait face, la photographie de ce fœtus appelait encore de l'attention : ce n'était qu'une poche rose et translucide, et pourtant déjà modelée selon les apparences d'un être humain. C'est sur un fœtus comme celui-ci que la recherche médicale a fait ses armes. C'est sur la mort que la vie nourrit son espoir de longévité. Pendant que je me rhabillais, je pensais à la vie en moi, et tout ce que je pouvais souhaiter à mon enfant était un avenir loin des griffes sans pitié de la science.

Ce soir-là, alors que j'étais allongée dans mon lit, je l'ai senti pour la première fois.

Je n'arrivais pas à trouver le sommeil. Je lisais un ouvrage sur les neuf mois de la grossesse que je tenais ouvert sur mes genoux. La lumière de l'abat-jour éclairait l'encre sur les pages et l'espace blanc entre les lettres. C'est arrivé tandis que je tournais la dernière page du chapitre sur la quinzième semaine. Un timide battement d'ailes, puis quelques petits coups, secs, décidés. Un message sans équivoque : « Je suis là. »

« C'est moi. Je suis là. Je suis à l'intérieur de toi. »

Un frisson est alors monté directement depuis mon ventre, traversant l'estomac, et s'est propagé jusqu'à mes yeux. Je n'arrivais plus à faire le point sur les mots de la page. J'ai laissé courir mes doigts sur le coton de ma chemise de nuit et je me suis caressé le ventre. J'avais envie de franchir toutes les épaisseurs, de le caresser dans le liquide amniotique, juste pour pouvoir me présenter à lui avec toutes mes limites et mes faiblesses, mais je savais aussi que nous ne pourrions jamais être plus proches que nous ne l'étions à cet instant. Et alors je lui ai murmuré :

– Moi aussi, je suis là.

Je suis ta mère. Je suis là. Je suis le monde autour de toi.

Les résultats de l'amniocentèse sont arrivés deux semaines plus tard. Il fallait appeler l'hôpital à quinze heures. La veille, j'ai demandé à Pietro de rester à la maison et de passer lui-même cet appel.

J'attendais sur le canapé en zappant à la télévision. À cette heure-là, aucun de ces documentaires sur la vie animale que je regarde tout le temps. De la porte-fenêtre du salon, je scrutais la terrasse avec sa petite table et les chaises recouvertes de toile cirée. Il venait de pleuvoir et le carrelage brillant reflétait la couleur vague du ciel. Sur une chaîne du câble, l'invité d'un talk-show politique était Romano, le grand amour de ma mère. L'homme qui ne l'a pas épousée, le but de toutes ses fugues clandestines. Je me suis mise à l'étudier avec attention. Je ne l'écoutais pas, mais j'observais sa gestuelle, les traits de son visage, les empreintes des années passées.

Il y a une ressemblance entre nous. Nous avons le visage ovale, la même forme d'yeux, la même façon de rire en fronçant le nez. Ce n'est pas mon père, mais c'en est une copie réussie. Si ça n'avait pas été le cas, ma mère n'aurait rien trouvé d'intéressant dans mon père. Et s'il n'avait pas existé, je ne serais pas là aujourd'hui. Lorenzo ne serait pas ici. À son insu, cet homme porte sur ses épaules le poids d'un parent. Mais aucune responsabilité génétique. Je lui dois cependant le fait d'être l'enfant de ma mère et de devenir mère à mon tour. Face à cette image, je me suis demandé comment j'aurais été si j'avais hérité aussi de son caractère. Aurais-je encore éprouvé cette sensation de précarité, comme si je vivais debout au bord d'un précipice ?

J'ai frotté les paumes de mes mains l'une contre l'autre si fort que j'ai retrouvé des résidus de cellules mortes sur ma peau moite. Le ciel s'éclaircissait. Il ne restait que quelques filaments de nuage qui ressemblaient à de longues écharpes de soie à la dérive.

Quatorze heures et cinquante-neuf minutes. Quinze heures. Quinze heures et quelques secondes.

Pietro a décroché le combiné pour composer le numéro de l'hôpital. J'ai joint mes mains et ai exhorté en moi-même : *Je T'en prie, je T'en prie, je T'en prie*. Je l'ai répété de façon mécanique, obsessionnelle, comme un mantra. Je ne voulais pas entendre sa voix, ni interroger l'expression de son visage. Pas de fausse piste. Je voulais uniquement une réponse univoque, rapide comme la foudre. Quand Pietro s'est assis sur le canapé et m'a dit : « Tout va bien. Ils nous confirment aussi que c'est un garçon », je me suis sentie comme ce ciel dégagé, à peine lavé d'une averse, déterminé à redevenir bleu.

Nous sommes restés longuement à nous serrer dans nos bras. Ensuite Pietro est allé dans la cuisine prendre une boisson sans alcool pour trinquer, et je me suis laissée choir dans les coussins du canapé. Mon père virtuel pestait à la télévision. Il avait l'air à son aise dans le tube cathodique. *Peut-être que mon fils aura nos yeux noisette,* ai-je pensé. *Et peut-être qu'il passera lui aussi à la télé.*

À l'extérieur, le soleil resplendissait sur les toits de la ville. J'ai encore une fois joint mes mains dans un geste de prière, et pour la première et unique fois j'ai réussi à imaginer le visage de Dieu. À la fois hiératique et paisible. Comme celui de mon père virtuel. Comme celui d'un politique au long cours. Et dans un murmure, je Lui ai glissé :

– Merci.

J'étais heureuse.

Je pouvais choisir un prénom, imaginer un visage, frotter la lampe d'Aladin. L'avenir m'apparaissait comme un bon génie prêt à exaucer mes vœux. J'étais restée trop longtemps dans la lampe.

Je n'avais plus peur de regarder le monde. Les mamans, les pères, les enfants, les familles. Les projets. Le bonheur.

Je n'avais pas peur de voler aux autres des fragments de vie, comme des pièces de mosaïque, comme une suggestion.

J'étais une huître qui transformait le sable en perle. Je tamisais l'infinité de la mer pour fabriquer quelque chose de petit et d'inestimable. Mon fils.

Je l'appellerais Lorenzo, comme mon grand-père, le résistant. Si la vie est une guerre, autant qu'il parte bien armé, ai-je pensé. Un prénom peut aussi être une tranchée, un bouclier derrière lequel se protéger.

Pietro, Luce, Lorenzo. Nous trois. Une famille.

J'étais heureuse.

Que tout soit fini. Que tout commence.

Ma gynécologue, le Dr Marina Gigli, est grande et maigre, on dirait une brindille que le moindre coup de vent va emporter. En réalité, c'est une femme solide comme la roche, courageuse, sincère. Nous nous connaissons depuis plusieurs années, et ma grossesse a été l'occasion de nous découvrir des affinités. De sorte qu'un rendez-vous après l'autre nous sommes devenues amies.

Elle se tient debout face au porche de l'immeuble où le Dr Piazza a son cabinet. Elle a reporté toutes ses consultations de la matinée pour être informée du diagnostic de son confrère. Mais elle a vingt ans d'expérience et son opinion est déjà faite.

Pietro, sa mère et moi sortons de l'immeuble comme des fantômes, hébétés par le destin qui vient de nous frapper. Matilde s'est abritée derrière ses lunettes noires et descend les marches en se tenant au bras de son fils. Moi je ne veux personne à mon côté, pas même Pietro. J'ai besoin d'espace.

– Marina, dis-je. Tu es là.

Elle m'accueille d'un sourire triste. Sa peau bronzée même en hiver, ses cheveux courts, une veste de cuir noir qui la protège du vent. Malgré la différence physique, elle me rappelle ma maîtresse de classe élémentaire, Mme Martinelli.

Avant toute question, elle me prend dans ses bras, ruinant tous mes efforts pour refouler mes larmes.

– Alors, qu'a-t-il dit ?

On dirait vraiment ma maîtresse d'école. Ce jour où, dans la cour pendant la récréation, il y eut une dispute et qu'elle me prit dans ses bras pour que j'arrête de pleurer. Oui, j'avais un genou écorché et je pleurais. Je pleurais parce que les autres se moquaient de moi à cause de mes jambes maigres et de mon ventre gonflé, comme les enfants du Biafra. La maîtresse voulait savoir exactement quels mots ils avaient employés. Je ne supportais pas la douleur. Une douleur physique, intense, qui se calma seulement longtemps après qu'elle m'eut pris dans ses bras. Ses baisers avaient le pouvoir de me faire me sentir en sécurité, protégée. Elle sentait bon la lavande et les biscuits Doria. Son sourire était tendre, sage, comme une vraie grand-mère.

– Il m'a confirmé ce qu'avait dit le Dr Paggi, déclarai-je avec une boule dans la gorge qui altérait ma voix. Dysplasie du squelette. Il pourrait s'agir d'une forme létale et qu'il ne survive pas à l'accouchement.

Pietro nous rejoint. Matilde reste à l'écart ; emmitouflée dans une fourrure elle fume une cigarette, laissant pour la première fois paraître un signe de nervosité.

– Écoute, Luce, je dois te dire quelque chose, me dit Marina, en se passant une main dans les cheveux et en se mordant une lèvre. Si j'étais à ta place, je ne mènerai pas à son terme cette grossesse. Et en tant que médecin, j'assume toute la responsabilité de ce que je suis en train de dire.

Pietro semble se ranimer, il s'approche d'elle et en parlant d'un ton prudent, presque de conspiration, il murmure :

– Piazza dit que nous avons dépassé les délais légaux.

– En Italie, oui. Mais pas à l'étranger. Avez-vous idée de ce vers quoi vous iriez ? J'ai fait une recherche ce matin. Il y a à Londres un généticien reconnu, un des meilleurs dans ce domaine. Je serais pour avoir aussi son avis. Et si le diagnostic était confirmé, réfléchissez sérieusement avant de rentrer chez vous dans ces conditions.

Je ne l'ai jamais vue si déterminée. On dirait un soldat dans une tranchée, où est passé le regard de Mme Martinelli ?

Pietro est déboussolé, mais il répond selon son caractère. Il est fait pour l'action, il reprend des couleurs. Il entrevoit la possibilité d'un mouvement sur un échiquier qui semblait absolument bloqué. Moi, en revanche, je suis prise d'étourdissement, je porte instinctivement ma main sur mon ventre et je tends l'autre vers la portière d'une voiture. Marina me soutient.

– Tu te sens bien ?

Mme Martinelli aussi m'aurait secourue, mais elle n'aurait jamais pris parti. Chaque fois, elle prenait la raison, la découpait en parts comme s'il s'agissait d'un gâteau, et les distribuait ensuite à toute la classe, de sorte que tous les enfants puissent rentrer chez eux contents. Ses gestes étaient toujours gracieux, de même que sa voix, sa façon d'aborder les discussions. Elle les retournait, les prenait avec distance, jamais de but en blanc. Comme Marina, comme Pietro.

– Marina, l'interpelle Pietro, et il s'empare de sa proposition comme d'un quignon de pain en temps de disette. Tu as bien dit Londres, c'est ça ?

– Oui. Dans trois jours c'est Noël, et jusqu'à ce matin les aéroports étaient bloqués à cause de la neige. Il faut faire vite, vous n'avez pas beaucoup de temps.

Lorenzo continue à se débattre en moi jusqu'à me faire venir un sanglot. Je suis dans une bulle. Les sens inertes. J'ai l'impression que la rue est déserte. Aucun bruit de trafic n'arrive jusqu'à moi, ni la rumeur des piétons, pas même la puanteur des gaz carboniques. L'hiver n'est plus là. Je ne parviens pas à retrouver ma sensibilité.

Je voudrais me replier sur moi-même et me coucher à terre. Le faire naître sur ce béton. Mais je reste immobile, stupéfaite, dans ce sanglot retenu.

Cette fois-ci, c'est Pietro qui me soutient.

– Laissez-nous un moment, dit-il à Marina et à sa mère, pendant que mes jambes flanchent et que je m'évanouis.

Quelques minutes plus tard, nous sommes dans la voiture, seuls, sur les sièges arrière. Matilde et Marina sont sur le trottoir, contraintes à une proximité embarrassante, à une attente truffée de monosyllabes. Quelqu'un est allé chercher une bouteille d'eau pour moi, que je bois à petites gorgées. J'ai une chute de glycémie, un fourmillement devant les yeux.

– Luce, je t'en prie, écoute-moi, me dit Pietro comme s'il s'adressait à une enfant. Nous avons des moyens économiques, dans le bien et le mal. Je veux aller à Londres. Nous sommes deux, tu te souviens ?

Il a le pouvoir de me faire pleurer de nouveau. Lui, il ne peut pas le sentir, Lorenzo, qui donne des coups. Poser une main ou une oreille au-dessus du nombril de temps en temps, ce n'est pas comme l'avoir en soi à chaque seconde. Il ne peut pas me comprendre. Et ce n'est pas vrai que nous sommes deux. Je suis complètement seule.

– Écoute-moi, poursuit-il, implacable. Pense au jour de ta vie où tu as éprouvé la pire douleur, où tu t'es sentie le plus mise à l'écart. Prends ce jour et multiplie-le jusqu'à l'invraisemblable, jusqu'à l'impensable. Ensuite ne pense plus ni à toi ni à moi, qui peut-être brûlerons en enfer mais qui s'en soucie, pense à cet enfant. Voilà ce que serait la vie de notre enfant si par malheur il devait survivre à l'accouchement.

Je le regarde avec peine, peut-être avec horreur. Non pas pour lui. Pour Lorenzo, pour nous tous, pour moi. Que je sois pulvérisée, hachée menu, je ne pourrais pas m'en sortir dès lors que je n'ai pas pu sauver la vie que j'ai créée. M'en occuper, la défendre et la remettre au monde. Nous nous sommes perdus dans la brume. Nous n'avons aucune idée de notre destination, ne suivons aucune trace sur le sol. Et pourtant nous avons le privilège de pouvoir choisir quel sentier inconnu entreprendre, quelle voie vers le néant pénétrer.

– En plus, si ce généticien est si fort, peut-être pourrait-il même nous donner quelque espoir, conclut Pietro, plus souple mais convaincu. Peut-être y a-t-il une possibilité d'intervenir avec une cure, tu pourrais avoir un traitement...

La sonnerie stridente de mon portable surgit et suspend l'échange de regards apeurés entre nous, nous sommes comme deux clandestins sur le point de passer une frontière. Après laquelle il n'y aura pas de retour possible, mais seulement la mort ou la liberté. Ou peut-être les deux.

Je réponds par automatisme, pour faire taire la sonnerie.

– Alors ? Tu ne m'as pas dit comment s'était passé le rendez-vous d'hier. Pourquoi tu ne m'as pas appelée ?

Ma mère.

– C'est Lorenzo. Malheureusement...

– Ma chérie, qu'est-ce qui se passe ? Quelque chose ne va pas ?

– ... il ne va pas bien.

La voix de ma mère, à l'inverse de la mienne, augmente de volume.

– Juste ciel, qu'est-ce que ça veut dire « il ne va pas bien » ?

J'essaie de reprendre mon souffle, mais je n'arrive plus à articuler une syllabe. Je passe le combiné à Pietro comme s'il était brûlant. Je me distrais avec la bouteille d'eau, je n'ai même pas la force de boire.

– Madame, c'est Pietro…

Pour la première fois depuis que je le connais, Pietro parle avec des larmes qui lui coulent des yeux à la bouche pendant qu'il lui raconte ce qui nous est arrivé.

Il nous est arrivé d'être heureux. Nous avions l'impression de voler au-dessus de nos vies, si merveilleusement innocents. Puis, en un instant, nous avons chuté. Et maintenant nous sommes là, sans savoir si nous resterons paralysés à vie, sur une chaise roulante, ou si, incertains et boitant, nous nous mettrons debout à nouveau et recommencerons un jour à marcher.

Seizième année, numéro 726 du 29 octobre

Chère Luce,

Je suis une orthophoniste à la retraite ; j'ai consacré ma vie à l'éducation à la parole et au langage et j'ai toujours été patiente, intuitive, créative. Et pourtant, en vingt-cinq ans, je dois bien le dire, je n'ai jamais réussi à communiquer avec ma fille.

Notre relation a pris une voie compliquée dès le début. Tu sais quand tu as affaire à quelqu'un qui t'énerve quoi qu'il dise ou fasse, et que tu ne peux que t'y opposer parce que tu n'es d'accord ni avec son comportement, ni avec ses choix et ses façons de faire ? Juste ciel, ce quelqu'un, dans mon cas, est la chair de ma chair.

Écoute-moi, Luce, et essaie de me comprendre : ce que ma fille me reproche est de m'obstiner à la considérer comme une partie de moi-même, une sorte de prothèse par laquelle je pourrais atteindre ces endroits du monde et de la vie qui m'ont été refusés. Elle dit avoir toujours senti le poids de mon jugement sur ses épaules. Cette idiote ne perd pas une occasion pour me renvoyer le fait que nous sommes différentes et que, que cela me plaise ou non, je ne l'ai pas créée à mon image et que je dois me faire une raison. Mais je lui réponds qu'on peut se faire une raison si l'on souffre d'un bégaiement ou du traumatisme d'une opération, ou qu'on a subi une lésion cérébrale ou que, après un choc, on décide de but en blanc d'arrêter de parler et de communiquer avec le monde. Mais ce n'est pas son cas, et ma fille ne connaît pas la raison, elle qui gâche sa vie ainsi que la mienne et tous les sacrifices que j'ai faits pour l'élever comme il faut. Cela fait cinq ans qu'elle fait semblant d'étudier. Ainsi elle ne deviendra jamais l'infirmière qu'elle m'avait promis de devenir. Et elle a choisi comme fiancé un troglodyte, ils vivent dans une maison qui ressemble à une décharge et leurs amis sont des bons à rien. Saurais-tu me dire par hasard s'il existe un pont quelque part, dans les frontières des langages connus ou ceux qui sont encore inexplorés, qui puisse me permettre, au moins pour une fois, d'arriver jusqu'à elle sans être chargée d'exigences, complètement désarmée ? Je ne veux plus la blesser et par suite me blesser moi-même. Parce que, que cela lui plaise ou non, elle *est* une partie de moi.

Delia

J'ai reçu bien des lettres comme celle-ci. Sur les relations difficiles entre mère et fille. Des lettres écrites à la main, le plus souvent en majuscules. La meilleure façon pour une calligraphie de se dissimuler.

Chaque fois, tandis que je rangeais soigneusement ces lettres dans une boîte, je repensais à ma propre mère, à l'idée absurde qu'elle pourrait être elle-même l'un de ces personnages. Des gens empêtrés dans ce même rapport toxique et malsain avec la chair de leur chair.

La lettre de Delia m'est arrivée un matin de la fin octobre, dans une enveloppe jaune faite d'un papier florentin raffiné. Au lieu de la replier et de la mettre avec les autres, je l'ai envoyée au journal avec une réponse.

Delia ne pouvait pas être ma mère. Ma mère a toujours snobé ma rubrique, peut-être ne la lit-elle même pas. Et de toute façon, nous étions déjà dans une autre phase de notre relation. Contrairement à la fille de l'orthophoniste, ces lieux de la vie qui lui étaient refusés, moi je les avais atteints sans me considérer comme une prothèse. J'étais au cinquième mois de grossesse, dans l'attente d'un enfant désiré et programmé avec l'homme que j'aime et, peut-être grâce à la cure de fer, j'étais pleine d'énergie et d'espoir. Confiante que non seulement le pont dont parlait Delia pouvait être trouvé, mais qu'on pouvait le traverser sans courir le risque de tomber dans un précipice. C'est pourquoi je l'avais écrit, noir sur blanc, et l'avais envoyé au journal. Comme une bouteille à la mer.

Depuis que je lui avais dit que j'attendais un enfant, ma mère s'était retirée dans une absence délibérée. Elle téléphonait rarement, envoyait quelques SMS. Elle ignorait presque tout de mes nausées, de mes préoccupations, de mon sentiment de malaise. Prétextant que plus de trente ans avaient passé depuis sa première et unique grossesse, elle s'épargnait l'effort d'émettre des avis et des conseils, et déclarait que la médecine s'était maintenant transformée en une cage d'interdits et de paranoïas, et qu'elle n'aurait de toute façon pas su quoi me conseiller ; à son époque, tout était différent. D'un côté, je lui savais gré de cette distance de sécurité, mais de l'autre, non. C'était difficile pour moi de le reconnaître, mais j'avais besoin de ma mère pour mettre au monde mon enfant.

Puis tout à coup, un après-midi, elle a téléphoné dans une disposition d'esprit nouvelle, comme un rameau d'olivier tendu, une tentative de réconciliation.

Elle avait retrouvé à la cave quantité d'objets datant de mon enfance. Elle pensait qu'ils pouvaient m'être utiles et les avait mis de côté. Je pouvais passer les prendre quand je voulais. Je m'en suis saisi comme d'un passe-partout pour entrer de nouveau dans la vieille tanière. Il fallait que je la voie, que je force l'entrée de son cœur bien gardée. J'y suis allée le jour même.

Nous nous sommes retrouvées dans le salon, ma mère, moi et Rachele, l'infirmière de ma grand-mère. Toutes les trois devant ce grand carton. Une urne funéraire ramollie par l'humidité, éventrée par la pointe aiguisée d'un jouet, ornée de minuscules toiles d'araignées.

Ma mère avait des bigoudis sur la tête et portait une robe de chambre hispanisante. Son pied et son mollet gauches étaient bandés dans un morceau de tissu rembourré. Deux béquilles pointaient sous ses aisselles.

– Une mauvaise foulure de la cheville, m'a-t-elle raconté, en oscillant comme un échassier. Mais je ne voulais pas que tu t'inquiètes dans ton état.

Elle ne faisait jamais référence à « mon état ». De cette façon-là en tout cas. Car elle préférait le plus souvent me répéter que j'étais enceinte, et pas malade, et que je ne devais pas m'attendre à des attentions particulières.

Avant de nous laisser seules, Rachele l'a aidée à s'asseoir dans un fauteuil. À ses pieds, sur le tapis, se trouvait le carton remonté de la cave. Je pouvais apercevoir la paille tressée de mon berceau rongée par le temps, et une pile de bodys et de vêtements tellement sales qu'aucun détergent, même le plus puissant, n'aurait pu les ressusciter. Il y avait même des morceaux de la cage du seul animal domestique que nous ayons jamais eu, un hamster. Ce jour-là, comme dans mon enfance lointaine, les attentions de ma mère éveillaient en moi une certaine méfiance.

– Tu es belle avec ton ventre, a-t-elle dit tout à coup, avec une douceur inhabituelle qui m'a mise mal à l'aise. Tu as vu toutes les affaires qu'il y a ? a-t-elle ajouté en désignant le carton de sa béquille. Prends tout ce qui peut te servir, ne sois pas gênée.

Elle est tellement habituée à demander plutôt qu'à donner que sa générosité semble feinte. Sa voix reste dure et froide comme la pierre, même quand elle aimerait en faire une plume.

– Et à propos, a-t-elle poursuivi d'un ton intimidateur et en soulevant sa cheville dans une pose théâtrale, je voulais t'en parler depuis longtemps... Indépendamment de cette malchance qui m'est arrivée, Rachele ne suffit plus, tu sais, chérie.

Mes soupçons n'étaient donc pas sans fondement.

– Je m'appelle Luce, maman, ai-je précisé. Et vu que c'est justement toi qui m'as donné ce prénom ridicule, tu pourrais au moins faire l'effort de le prononcer quand tu t'adresses à moi.

– Mon Dieu, comme tu es susceptible. Ah, Luce, je suis effondrée.

– Tu as juste une cheville foulée.

– Mais tu ne vois pas dans quel état je suis ?

Elle brandissait une béquille comme pour me rappeler son infortune.

– Faut-il que je sois complètement infirme pour obtenir ta pitié ? Est-ce que tu réalises ce que ça représente de s'occuper de ta grand-mère dans ces conditions ?

– Rachele s'en occupe, qu'est-ce que tu veux de plus ?

– Une femme de ménage, à temps plein et indéterminé.

– Je t'ai fait un virement il y a moins de deux semaines. Tu pourras la payer avec cet argent. Tu sais qu'en ce moment, entre les frais médicaux et les achats pour le bébé, je suis à sec.

– Et ton mari ? Lui, il n'est jamais à sec.

– Premièrement, il n'est pas mon mari, et deuxièmement, je n'aime pas devoir lui demander de l'argent.

– Ce n'est pas ton mari parce que tu n'as pas voulu l'épouser ! Et je n'ose même pas imaginer comment tu ferais s'il te quittait un jour. Certes, tu es tombée enceinte. Mais ce n'est pas une garantie suffisante, chérie, pas du tout !

– Tu ne rates jamais une occasion de me le rappeler. Mais pourquoi faut-il toujours que tu réduises tout à une question d'argent ?

– Ce n'est que lorsque tu en manques que tu réalises son importance. Comme toutes les choses de la vie.

Fin du deuxième acte. Les lumières s'éteignent sur son expression affligée. Le rideau tombe.

– Combien veux-tu ?

– Au moins huit cents de plus par mois.

J'ai fait non de la tête. Mais ma mère me connaissait suffisamment pour savoir que c'était oui. Elle s'est levée, sans l'aide de ses béquilles, et s'est approchée du carton de mes vieilles affaires.

– Sors tout. Voyons un peu ce qu'il y a là-dedans, a-t-elle dit, tandis que je lui donnais satisfaction en renversant mon enfance poussiéreuse sur le sol.

C'est le soir. Nous sommes tous les cinq assis dans le salon. Ma mère, mes beaux-parents, Pietro et moi. Dans l'air plane une nuée de mots non dits, de malédictions, de reproches tus. Sur la table basse sont disposés de l'eau, des jus de fruits et des chocolats, mais personne ne touche rien. Personne ne se regarde.

Ils parlent peu, du voyage, de l'hôtel, de combien de jours nous pensons rester. Ils parlent à la troisième personne, comme de quelqu'un d'autre. De quelqu'un avec qui il n'existerait aucun lien de parenté. Ils n'ont pas le courage de s'adresser à moi. Ma mère ne tient pas en place, Leonardo, le père de Pietro, d'habitude si austère et contrôlé, observe fixement le noir derrière la vitre, déboussolé, pendant que Matilde est accrochée à son fils comme une ombre.

La mère et le fils finissent par se réfugier dans la cuisine. Matilde lui murmure :

– Quoi que tu décides de faire, sache que tu as notre soutien. Je serai là, nous prendrons soin de vous.

Ils sont convaincus que je ne les entends pas. Ils ne savent pas que je suis plongée dans ce silence comme dans des sables mouvants, terrorisée par le seul son des mots, et que le mot « soin » m'attire encore plus profondément dans l'abîme. Désormais je l'associe à la caresse amoureuse que l'on fait à un moribond avant qu'intervienne la main de Dieu. « Soin ». Le mot de la fin.

Ma mère me tourne autour, elle déplace les objets pour être interceptée par mon radar hors d'usage. Elle finit par s'asseoir, et prend mes mains dans les siennes. De sa part, cela vaut pour le plus tendre des gestes.

Elle m'explique qu'elle ne peut pas venir à Londres. Elle dit que c'est à cause de ma grand-mère et de sa cheville qui lui fait mal.

– J'ai encore mon attelle.

Si elle avait été plus en forme, elle serait venue, bien sûr, quitte même à laisser la maison à deux étrangères. Mais le voyage serait une torture pour ses pauvres os et elle ne veut pas être un poids. Nous n'avons vraiment pas besoin d'une pauvre vieille dans un moment aussi difficile. L'important, c'est que je sois sereine. Elle m'aime, et nous sommes dans ses prières. Nous ne devons nous inquiéter de rien et quoi qu'il arrive il y a toujours le téléphone. Je peux l'appeler à toute heure, du jour et de la nuit. Je ne dois jamais oublier que je suis sa chérie.

Un des premiers cadeaux de ma mère – qui est aussi l'une des seules promesses qu'elle a tenue – a été un hamster.

J'avais douze ans et je passais des après-midi entiers à observer cette pauvre bête, qui semblait venue au monde uniquement dans le but de soulager la solitude de mon enfance et de me hisser jusqu'à l'adolescence. Je ne savais pas que c'était une femelle, sinon je ne l'aurais pas appelée Benjamin.

Dans sa cage se trouvait une petite roue en plastique à laquelle Benjamin s'accrochait comme un singe et il tournait, tournait éperdument sur lui-même. Puis, tout à coup, il a cessé et a commencé à grossir à vue d'œil. Il ne faisait plus rien d'autre que se gaver. Personne ne s'y attendait, mais en réalité il avait le ventre plein de bébés.

Ils étaient si petits à leur naissance qu'à première vue on aurait dit des larves. La peau rose et glabre. Les petits museaux occupés à flairer les odeurs nouvelles. Les yeux clos, comme autant de virgules miniatures sur la chair transparente.

Quand ma mère est entrée dans la pièce, suite à mes appels hystériques, elle a été très troublée. Elle n'appréciait pas tellement que Benjamin ait engendré dans la nuit et que sous peu nous ayons à gérer une invasion. Pour moi, au contraire, c'était une vraie fête.

Benjamin ne paraissait pas éprouvée par la mise bas, mais je m'obstinais à projeter un regard maternel sur ce museau totalement dépourvu d'expression. Je croyais qu'elle contemplait son tapis de bébés roses en pensant que désormais il lui fallait en prendre soin, et quand elle a porté le premier à sa bouche, j'étais encore convaincue que c'était pour le laver. Mais elle l'a mis dans sa gueule délicatement et, d'un coup net, l'a tranché en deux. Une opération chirurgicale, sans effusion de sang. Et après l'avoir mastiqué et avalé, Benjamin a cessé de renifler l'air en bougeant ses moustaches comme des antennes, en me scrutant avec ses yeux noirs et pénétrants, parfaitement immobiles.

J'étais choquée.

– Mais pourquoi fait-elle ça ? ai-je demandé à ma mère, qui au lieu de m'éloigner de la cage semblait fascinée par ce spectacle incongru, comme si on venait de l'initier à un terrible secret.

– Peut-être en a-t-elle trop, ou peut-être pense-t-elle qu'il n'y a pas assez de nourriture et d'espace pour tous et qu'elle fait une sélection.

– Sortons-la, maman, je t'en supplie. Mettons-la dans une cage plus grande !

Ma mère a arrêté mon geste avant que j'ouvre la petite porte de la cage.

– Non, ne les touche pas, Luce. Sinon elle ne va plus les reconnaître. Viens, sortons, si ça se trouve, elle les dévore parce qu'elle se sent menacée et qu'avant que quelqu'un ne tue ses petits elle le fait elle-même. Dans tous les cas, elle sait ce qu'elle fait.

Tandis que ma mère me traînait hors de la chambre, je savais que je n'oublierai jamais la scène à laquelle je venais d'assister. Ce que j'ignorais alors, c'est qu'une nuit, vingt ans plus tard, j'allais retrouver en rêve cette scène macabre, et pourtant si naturelle, dans les moindres détails.

Pietro est assis à côté de moi. C'est lui qui attache ma ceinture de sécurité, qui installe mon sac sous le fauteuil devant nous.

Je ne dors pas depuis deux jours. Je suis parvenue avec difficulté à dire à l'hôtesse du *check in* que j'étais au cinquième mois de grossesse et non au septième, sinon il m'aurait fallu donner un certificat médical pour voyager, que je n'ai pas.

Nous sommes le 22 décembre. Je n'en reviens pas que nous ayons réussi à partir. Jusqu'à hier, dans la moitié de l'Europe, les aéroports étaient bloqués par la neige. Les journaux télévisés s'en sont fait l'écho : des dizaines de vols annulés, des centaines de passagers restés au sol. Mais Pietro a bien des ressources. Il n'a pas cessé d'être au téléphone depuis que nous avons quitté le cabinet du Dr Piazza. Il lui fallait trouver les informations, réserver le vol, prendre rendez-vous avec le généticien, le Dr Wilson, qui nous attend à l'heure du déjeuner à l'hôpital de Westminster, un hôpital public très renommé, situé dans le West End londonien.

Je l'ai laissé faire. Je n'ai fait que me laisser porter. Je lui ai permis de me guider comme si j'étais incapable de comprendre et de vouloir. Pourtant je sais que nous allons vers un jugement, accusés et déjà coupables, dans l'attente de connaître la nature de notre peine. De temps en temps, il me stimule en me posant une question, il cherche des sujets de conversation, puis renonce. Il jette un œil dans le couloir aux mouvements des autres passagers, bien déterminé à trouver le coup gagnant dans la partie que nous sommes en train de jouer. Je perçois combien il est en alerte, et malgré moi je redoute l'effet qu'aurait cet enfant sur notre relation, sur notre avenir. Je sais qu'il pourrait tout remettre en question.

Tandis que les passagers disparaissent en s'asseyant sur leurs sièges, je continue à me caresser le ventre. Je fais ce même geste depuis des jours. C'est devenu un mouvement involontaire, comme battre des paupières ou respirer.

Ce matin, je l'ai observé avec attention. Avec sa forme, il est désormais méconnaissable, à la place du nombril, j'ai une sorte de cicatrice en forme d'étoile. Le trou a disparu. Il n'en reste que la sensation, effacée dans la mémoire, d'un vide rempli. Comme si Lorenzo avait toujours été là. Lui et moi, indissociables. Une tortue avec sa carapace. Et moi, je dois être la carapace.

Je l'imagine blotti dans un coin de moi, ses mains collées contre la paroi utérine, apeuré. Une souris en cage. Je voudrais pouvoir le rassurer, lui expliquer qu'il faut affronter les peurs parce qu'elles sont sans fondement le plus souvent, mais s'il me confiait la peur qu'il a de vivre, à l'instant, je ne saurais que lui dire.

Moi aussi, j'ai peur.

Je voudrais que le temps s'interrompe. Je voudrais ne pas avoir à prendre de décisions.

Je voudrais que Lorenzo reste à l'intérieur de moi pour toujours.

Ou qu'il n'y soit jamais entré.

L'avion commence à rouler sur la piste de décollage. Je regarde par le hublot. Le ciel limpide. Les étendues de prairie infestée de chiendent et de buissons sauvages. Les hangars au loin. Les autres avions en attente de terminer les procédures d'embarquement. D'ordinaire, j'ai peur du décollage, lorsque l'avion prend de la vitesse et que tous les boulons semblent se dévisser avant que la carlingue n'explose en mille morceaux. Mais cette fois-ci, je voudrais éclater en plein vol et en finir. Ou bien perdre moi aussi mes vis et mes boulons, exploser sur la piste, aller m'écraser quelque part.

Dans le ciel, nous sommes engloutis par les nuages, et avant d'en ressortir, pendant un instant on ne voit que du blanc autour de nous. Un blanc de plâtre, dense, qui nous recouvre. Mais sans nous effacer.

Les hôtesses passent dans le couloir avec leur chariot, me proposent des cacahuètes, des biscuits, un verre d'eau.

– Tout va bien, madame ? À quel mois êtes-vous ? demande l'une d'elles avec un supplément de gentillesse.

Je me retourne.

– Au cinquième mois, répond Pietro à ma place. Ne vous inquiétez pas, tout va bien.

Et il ajoute, dès que l'hôtesse s'est éloignée :

– Hé, je suis là, reste calme.

– Ne me dis pas d'être calme, lui ai-je soufflé méchamment.

J'essaie de bouger à grand-peine et me remets à regarder par le hublot l'étendue de nuages autour de nous qui ressemble à un champ enneigé.

– Laisse-moi tranquille.

Londres est toute décorée pour les fêtes. Les rues ne sont qu'une succession de lumières, de flocons et de sapins de Noël. Tandis que le taxi se fraie un chemin dans la circulation dense, je me revois à vingt ans, serveuse dans un bar de King's Road. Quelques mois d'été plongée dans un cocktail à base de musique et de légèreté d'esprit. À partager un deux-pièces avec un étudiant en philosophie qui jouait de la guitare avec passion. Des amis qui passaient à l'improviste toute la journée. Les discussions jusque tard dans la nuit. Le vin rouge dans des gobelets en plastique, où finissaient les mégots de pétards et de cigarettes dans une mixture répugnante. Les fous rires et les baisers inattendus. Cette ville m'a connue heureuse, me dis-je en regardant le ciel. Mais ce n'est plus le ciel d'alors, plein de promesses. Aujourd'hui, c'est une plaque de glace grise qui nous écrase sous son poids.

L'hôpital est un vaste bâtiment d'architecture sobre qui ressemble à une caserne. Une façade en brique et une porte de verre et de métal. Le taxi nous dépose devant l'escalier central où des patients en manteau et pantoufles sont en train de fumer, en se mêlant furtivement aux visiteurs en bonne santé.

À l'entrée, la lumière des néons est si forte qu'on pourrait croire que la nuit est déjà tombée. Je marche derrière Pietro, je me tiens à distance. Je réduis mon champ de vision au linoléum qui recouvre le sol. Je ne veux pas voir la douleur des autres, celle qui a explosé en moi me suffit.

Nous prenons l'ascenseur. Nous montons jusqu'au troisième étage, dans le secteur WOMEN'S SERVICES.

Avant de sortir de la cabine, Pietro se retourne et me dit :

– Je suis avec toi.

Il a besoin en permanence de me répéter qu'il est là, comme si je n'arrivais plus à le voir. Ce qui est vrai, d'une certaine façon.

La première pièce du service est une grande salle d'attente, bruyante et saturée en cette période de vacances de Noël. Le corps humain ne tient pas compte des festivités quand il tombe malade ou quand il vient au monde.

C'est la première fois que j'entre dans un hôpital anglais. Je n'en avais jamais vu qu'au cinéma ou à la télévision. Avec des acteurs doublés et des lieux si lissés que l'ensemble perdait toute authenticité. Ceux-là ne portent pas le nom de saints, de la Vierge ou du Seigneur. Pas de crucifix accrochés aux murs et ils n'ont pas cette atmosphère lourde et triste des hôpitaux italiens. En apparence propres et fonctionnels, ils ressemblent plutôt à des hôtels ou des cliniques privées.

On y trouve des femmes de toutes les origines, avec des ventres de toutes tailles. Et aussi des enfants, des enfants venus au monde.

C'est un crève-cœur de les voir. Il y a un nourrisson qui crie, emmailloté dans une couverture de flanelle rose ; deux petits d'environ trois et cinq ans qui jouent dans la pièce, et un homme grand et distingué, peut-être le père, qui fait de son mieux pour les tenir en place. Je me demande si Lorenzo pourra courir, mais je ne sais même pas s'il pourra jamais marcher.

Tout à coup, une pensée, comme un coup de tonnerre. Mon ventre est dur, contracté. Il pourrait naître tout de suite. Décider d'éclore entre mes jambes sans nous donner la possibilité de choisir. Ce pourrait être lui qui choisirait pour nous. Qui déciderait de continuer et de survivre même sans moi.

Alors, fais-le, Lorenzo, montre-moi que Dieu existe et qu'Il a l'intention de m'arrêter, lui dis-je dans une supplication.

Un petit garçon d'origine indienne se lève pour me céder sa place. À côté de moi se trouve une femme blonde, en surpoids. C'est la mère des deux enfants déchaînés.

Je le comprends à la façon dont elle les évite. Un des deux tire la manche de sa veste puis appelle le père pour avoir son soutien. La mère semble impassible, ne lui prête aucune attention, ne s'aperçoit même pas que son compagnon s'évertue à éloigner le garçon. Elle aussi a le regard perdu, et semble tout entière prise par un dialogue tendu avec ses fantômes. Vit-elle la même chose que moi ? Et si son utérus ne renfermait pas un troisième enfant, mais une tumeur ?

Peu à peu, la salle d'attente m'apparaît sous sa véritable identité : une portion du monde où le bonheur va de pair avec la douleur. Tous deux dans l'attente de recevoir un permis de séjour ou une feuille de congé. Et c'est précisément cette sensation d'incertitude qui fait qu'une compréhension réciproque et tacite plane sur toute l'assistance.

Pietro me dit de l'attendre là. Il doit aller à l'accueil pour obtenir des informations.

Je le regarde s'approcher du guichet dans le manteau bleu nuit que je lui ai offert pour son anniversaire, se frayer un passage dans cette rumeur étrangère, les pleurs des enfants, les décorations de Noël accrochées sur les murs et les présentoirs remplis de feuilles volantes. Je le vois désemparé, lui qui est si solide et assuré. Je le vois perdre du terrain à chaque pas, et ployer, lui aussi, comme un vieil homme, du premier véritable coup que la vie lui a asséné. Il se tourne vers moi et de loin me sourit. Moi aussi je lui souris, mais à l'intérieur, mon cœur est à feu et à sang.

Je repense au jour, il y a sept mois, où il est rentré à la maison et que j'avais mis son pull fétiche, celui qui peluche et dont les fils pendouillent. Celui qu'il portait le jour où il m'a proposé de vivre avec lui. Le porte-bonheur des occasions exceptionnelles. Serré dans ma main, caché derrière mon dos, je tenais le document du résultat de mes analyses d'hormones bêta, bien enroulé et tenu par un élastique. Mon rire était si nerveux, le sien, si plein de stupeur. Je repense à sa joie quand il m'a prise dans ses bras et m'a soulevée de terre en criant :

– Je suis fou de toi. Je suis fou de lui, ou d'elle... Je suis fou de nous !

Je me repasse le film des moments cruciaux de la grossesse. Les jours où nous nous sommes disputés parce que les hormones me rendaient ultrasensibles ; de lui m'attachant les cheveux en queue-de-cheval ; de moi, souffrant de nausées, pliée en deux sur le sol de la salle de bains, les mains accrochées au couvercle des toilettes ; tous les moments où nous avons parlé à Lorenzo à travers mon ventre. Aux réactions à l'annonce que nous attendions un enfant : le sourire de Matilde qui cède sous le poids d'un désenchantement et semble vouloir dire « cette fois-ci, tu as gagné, je vais être obligée de t'accepter » ; l'enthousiasme amical de Paolo, le meilleur ami de Pietro, et celui, envahissant, de sa femme Giorgia, enceinte elle aussi, mais pour la deuxième fois ; la joie mélancolique d'Ivan et Neri, mes meilleurs amis. Ivan qui ironise sur le fait que si lui et Neri voulaient se marier ou adopter un enfant, ils devraient aller en Espagne ou en Angleterre. Ils le sauront bientôt, eux aussi, que finalement c'est nous qui avons dû y aller, en Angleterre, et pour une tout autre raison. Le dernier souvenir qui clôt cette séquence est la dernière fois que Pietro et moi avons fait l'amour. Sur le sol, dans la chambre de Lorenzo, qui était encore en chantier, un nid à construire. Avec ma salopette pleine de peinture et sur un tapis de vieux journaux crépitants. Lui qui ne pénètre pas en moi autant qu'il le voudrait par précaution pour l'enfant et, dans la pénombre de ce lieu si vide et en même temps si plein d'espoir, ses yeux qui se perdent dans les miens, comme si c'était notre première fois.

Je pleure. Je pleurais cette nuit-là et je pleure maintenant, dans cette salle d'attente bruyante et surpeuplée.

Pietro me regarde, mais il ne peut pas déchiffrer sur mes lèvres à cette distance. Il ne peut pas savoir que je suis en train de lui demander pardon.

Seizième année, numéro 734 du 22 décembre

Chère Luce,
Je t'écris d'une étoile, parce que c'est là que je suis arrivée la nuit où A. et moi avons fait l'amour pour la première fois. Je me souviens avoir pensé : *Mon Dieu, mais alors Tu existes, et on peut Te toucher.* Le lendemain matin, je me suis réveillée seule. Il avait disparu. Il allait revenir, certes, mais pour ensuite disparaître à nouveau.
Je ne suis ni la première ni la dernière à être tombée amoureuse d'un homme peu fiable, imprévisible, impossible. Mais lui, il m'a emmenée jusqu'à cette étoile, et je n'ai pas moyen de revenir en arrière. Je suis trop haut pour me laisser retomber. Il y a trop de lumière pour que je puisse voir.
Et puis, les étoiles sont nombreuses, mais trop lointaines pour que les gens puissent comprendre.
Avec mon estime,

B.

Les traits orientaux du docteur Wilson lui donnent un air juvénile, mais il est un ponte dans son domaine et doit en réalité avoir dépassé la soixantaine. Il a encore une chevelure fournie, saupoudrée de gris, bien peignée. Sa peau est lisse et ferme, comme si à l'est de la planète les gènes étaient moins sensibles au temps qui passe.

Il regarde scrupuleusement mon dossier médical. Il m'ausculte longuement, dans ce cabinet d'hôpital anglo-saxon sans fenêtre, équipé en revanche d'appareils en apparence plus sophistiqués que les nôtres. En tout cas à en juger par les dimensions de l'écran de la machine d'échographie et la netteté des détails de l'image.

Malgré des études internationales et ses origines asiatiques, Wilson non plus, lui qui allie pourtant progrès et savoir antique, ne semble pas avoir de boule de cristal. Il s'en tient à ce qu'il voit. C'est une question de millimètres. L'évolution demeure indéfinie. Chacune de ses hésitations est révélée par son geste de se gratter le menton pendant qu'il observe le moniteur où mon fils apparaît, comme s'il était hors de moi, et non enroulé juste là, en dessous. Sous la peau tirée et le gel transparent, qui permet à la sonde de parcourir une fois de plus la surface de mon ventre.

Le Dr donne quelques petits coups sous mon nombril, et Lorenzo réagit, bouge, répond du pied, permettant à la sonde de le capter avec plus de précision. Il a retiré les petites mains qui recouvraient sa bouche et ses yeux, et je peux maintenant voir distinctement son visage. Il semble détendu, impassible. Il flotte dans le liquide amniotique, bercé par ma respiration, peut-être convaincu que les frontières du monde sont mes parois utérines. Molles, chaudes, résistantes. Ce n'est pas une souris en cage, rien d'autre qu'un enfant.

Je réalise combien cette pensée était stupide : qu'il allait suffire au Dr Wilson de parcourir les données relevées précédemment pour démentir les médecins qui se sont prononcés avant lui. Que faire le voyage jusqu'ici pour apprendre, soulagés et indignés, qu'il ne s'agit que d'un cas banal de retard de croissance. Un cas auquel il est possible de remédier. Mais en réalité, pas même le Dr Wilson n'est en mesure de nous donner un diagnostic. L'image du thorax de Lorenzo lui impose une réflexion approfondie. Il convoque alors trois confrères, trois autres pontes.

Ils entrent en file indienne. Deux hommes – un petit et trapu, l'autre plus maigre et élancé – et une femme d'environ quarante ans, tous en blouse blanche. Ils ne perdent pas de temps en circonvolutions et se disposent en demi-cercle face au moniteur. Ils analysent l'image à l'écran, indiquent de façon répétée certaines zones, échangent leurs avis. Ils s'arrêtent sur les mêmes segments d'os qui rendaient Wilson perplexe. Des détails microscopiques, qui pour nous paraissent ordinaires. Les os de Lorenzo. Des petits os courts et fins, comme on imagine bien du squelette d'un nouveau-né, mais c'est justement dans ces quelques millimètres qu'est scellé son – notre – destin.

Après un dernier tour des avis, le Dr Wilson prend la parole. Il s'exprime avec un accent *british* prononcé, avec les vocales aspirées, et je ne comprends pas ce qu'il dit.

Je parle anglais depuis longtemps, mais pas maintenant. En cet instant, je suis sourde et aphone. Pour moi, Wilson et ses confrères sont des personnages indéchiffrables, comme le chat du Cheshire, le Lapin blanc, la Chenille, la Reine de Cœur. Et moi, je suis Alice au pays des horreurs.

La voix impersonnelle du ponte me donne la chair de poule. De même que les regards de ses collègues, déjà détachés de la situation.

– Ma chérie ?

Pietro m'appelle, il a compris que je suis sur le point de m'écrouler.

– Tu as entendu ce qu'a dit le médecin ?

Je réponds non de la tête.

Pietro s'adresse à Wilson.

– Est-ce mortel ?

Le médecin soupire.

– Ça pourrait.

De nouveau ce conditionnel, aucune certitude. Nous avons besoin d'une réponse, mais personne ne se hasarde à nous la donner. Il existe une marge d'erreur et se prononcer représente un risque trop élevé.

Pietro s'approche du médecin et semble rassembler ses dernières forces dans ce mouvement. Je les entends parler de « *skeletal dysplasia* ». Wilson acquiesce, mais comme le ferait la Chenille : il n'exclut pas que Lorenzo puisse mourir d'asphyxie pendant l'accouchement, ni qu'il puisse atteindre l'âge adulte. La seule chose sûre est que son thorax est en train de comprimer son cœur et ses poumons, et que si son état ne se dégrade pas, il est de toute façon voué à une existence pleine d'obstacles. Pietro traduit, répète plusieurs fois le mot *pain*, jusqu'à ce qu'il finisse par lui poser la question, claire et directe comme il sait le faire dans les moments cruciaux. Il veut savoir s'il existe une façon de sortir de cette situation. S'il est encore temps d'interrompre la grossesse et d'épargner à Lorenzo toute souffrance. Wilson échange un regard avec ses confrères, ils acquiescent à leur tour. Ils nous avertissent qu'il s'agit d'une opération très coûteuse. Pietro secoue la tête, dit que cela n'a pas d'importance, il peut se permettre de dépenser n'importe quel montant. Les médecins semblent hésitants, nous sommes presque à la veille de Noël et s'il faut le faire, ils nous suggèrent de le faire aujourd'hui, pour que l'accouchement ait lieu avant le soir du réveillon. Pietro s'adresse à moi de nouveau.

– Tu as compris ? Ils sont d'accord pour l'interruption, me dit-il presque soulagé. Pour le bien de l'enfant, ils nous conseillent de ne pas aller plus loin. Ce n'était pas si évident qu'ils acceptent, Luce. Tu dois seulement donner ton accord.

La journaliste en moi enregistre cette information. Ici, c'est différent de l'Italie, la loi anglaise ne pose pas de limites par rapport au temps gestationnel et place la mère au premier plan dans des cas difficiles et incurables comme celui-ci. Cela ne dure qu'un instant, puis mon cerveau se remet en veille. Autour de moi, des vitrines transparentes pleines de flacons de médicaments et d'instruments chirurgicaux. La science me trahit, elle me laisse seule. Ils attendent ma réponse, mais je ne sais pas si je suis capable de supporter un tel poids. Le poids de la raison. Mon fils trop faible pour vivre et trop fort pour mourir. Il a recommencé à donner des petits coups, peut-être dérangé par les auscultations auxquelles nous l'avons soumis, mais personne, à part moi, ne peut le sentir.

Sors, Lorenzo. Je t'en prie, prouve-moi que ces scientifiques se trompent, que c'est la science même qui est dans l'erreur. Que tu vas y arriver, contre la mort, contre la douleur. Tu apprendras à aimer, tu deviendras grand. Peut-être un génie des maths ou de la philosophie, ou de l'art. Ensemble nous vaincrons les préjugés, l'adversité. Nous œuvrerons pour un monde meilleur.

Je cherche Pietro. Je le supplie du regard, je l'implore. Mais Pietro a un air sombre, chargé de reproches. En italien et à voix basse, il me souffle :

– S'ils voient que tu es indécise, ils nous renverront chez nous, Luce. Marina l'a dit aussi, nous n'avons pas beaucoup de temps.

Sors, Lorenzo. Viens maintenant. Prouve-moi que tout cela a un sens, que tu n'es pas à l'intérieur de moi par erreur ou comme une punition, comme une peine à purger, une condamnation.

Je regarde encore Pietro, son visage creusé par l'angoisse et l'inquiétude. Ses yeux aussi me parlent de toute leur force d'expressivité. Ils me disent qu'ils n'ont pas la même myopie que moi, parce que contrairement à moi ils sont capables d'entrevoir la douleur à l'horizon, un fleuve de douleur qui avance, une crue irrépressible. Une douleur violente qui te prend dans les os et te fait maudire le jour de ta naissance. C'est Pietro qui me supplie, sans ouvrir la bouche. La vie n'est pas toujours un don, me dit-il, et elle n'est pas non plus un devoir. Si nous sommes là aujourd'hui, c'est que d'une certaine manière nous a été donnée la possibilité de choisir. Un autre genre de don, oui. Aussi absurde que cela puisse paraître, la possibilité d'une mort sans agonie. Faire en sorte que notre enfant s'endorme sans avoir vu autre chose que le monde à l'intérieur de moi.

– *Your decision ?* me demande Wilson.

Ils attendent encore. Mais il s'est trompé de personne en posant la question. Pietro a déjà pris sa décision, moi non. Je n'ai jamais eu son sang-froid.

Autrefois je le trouvais attirant. Je m'en remettais à lui comme une petite fille qui a grandi sans père. Pour les choses les plus banales, comme le choix d'un cadeau ou d'un restaurant, jusqu'aux questions professionnelles, Pietro n'est jamais hésitant, il sait toujours ce qu'il veut, quel est le comportement le plus juste en toutes circonstances. Moi, à l'inverse, j'ai toujours besoin de soutien, je n'arrive pas à compter seulement sur moi. Pour la première fois cependant, sa détermination est un obstacle, comme un rocher qui vient de tomber et barre la route que nous avons encore à parcourir. Peut-être un signe précurseur de l'éboulement qui finira par s'effondrer sur nous et nous éliminer. Mais déceler l'ombre d'un doute dans son regard pourrait-il vraiment m'aider ? Ou cela nous conduirait-il à nous crucifier ici, à cet instant, et à laisser encore une fois le hasard décider pour nous ? Mais si en faisant autrement nous privions notre enfant d'un droit ? Le droit d'essayer, en quelque sorte, de se battre pour survivre ?

Et voilà la réponse qui tombe. Je la trouve comme ça, sans intention, dans ce dernier verbe, surgie dans mon esprit comme une épiphanie. On peut *donner* la vie, mais peut-on en dire autant de la survie ?

Un jour je repenserai à la lucidité implacable de Pietro, à sa détermination à aller jusqu'au bout. Et je pourrai même le remercier, d'avoir été encore une fois ma boussole, mon timonier, et de m'avoir donné le courage de prononcer, lentement, les mots « *I agree* ». Mais au moment précis où je les prononce, je le déteste de toutes mes forces.

Parce que c'est justement toi. Moi. Nous.

Nous suivons Wilson dans un long couloir aux murs blancs et traversons une deuxième salle, où une humanité de femmes alignées sur des canapés attendent que le temps s'écoule. J'ai l'impression d'être sans corps et de regarder un de ces fleuves légendaires qui séparent les vivants des morts, d'être entrée dans une sphère où je ne serais visible que de ceux qui perçoivent ce que je ressens. Certaines femmes parmi celles qui sont là. Une en particulier. Elle a des yeux verts, les cheveux blonds rassemblés dans une queue-de-cheval ébouriffée. Le renflement de son ventre est moins prononcé que le mien. Quelque chose dans la façon dont elle garde ses mains loin du ventre, jointes sur ses jambes, dans la grimace de sa bouche et des muscles de son visage, quelque chose qu'on ne peut expliquer par des mots. Elle est la seule qui semble pouvoir me voir. Et à l'improviste, nos douleurs se reconnaissent mutuellement.

J'ai arrêté moi aussi de me caresser le ventre. Je suis poussée avec anticipation vers un parcours strict de rééducation. Mon esprit est en train de commander à tout mon corps une marche arrière. Comme elle, comme toutes les femmes qui sont là pour une interruption de grossesse. Jusqu'alors, nous les avons nourris, fait grandir, protégés du monde. Maintenant arrive, prématurée et cruelle, la séparation.

Wilson nous installe dans une pièce au fond du couloir. Nous nous asseyons sur un canapé en tissu. Le sol est recouvert d'une moquette en laine synthétique couleur pétrole. Sur le côté se trouve un bureau couvert de papiers, une lampe en cuivre et un ordinateur encombrant. Quelques photos, de patients peut-être, sont accrochées sur un panneau en liège. Une dizaine en tout, entre deux et sept ans. Des enfants.

Le médecin récupère une série de documents dans l'imprimante. Il semblerait que je doive les lire et les signer.

C'est un peu comme être à la pointe d'un rocher juste avant de plonger. Chaque muscle tendu, prêt à soutenir l'élan. Je ne dois pas penser à l'impact avec l'eau, à la profondeur, à la température. Si je recule ne serait-ce que d'un pas, je risque de m'enfuir et de m'en retourner chez moi comme je suis venue.

Le premier formulaire que Wilson me présente porte la mention « *Patient agreement* ». Nous devons le remplir. Mais ma vue est embrumée, je passe le stylo à Pietro. Je ne parviens à lire que quelques phrases éparses, en suivant la pointe du stylo sur le papier.

« Termination of pregnancy. Benefits: Prevent birth of child with handicap. Occurring risks: Uterine rupture after previous caesarean section. Infection. Blood transfusion. »

Wilson m'explique que les probabilités de recourir à une césarienne sont d'une sur quatre cents, mais depuis deux jours ma compréhension des calculs de probabilité n'est plus la même qu'auparavant.

Pendant un instant, je recommence à penser à moi. À la peur que j'ai toujours eue du sang, des interventions chirurgicales, des blocs opératoires. À celle de mourir dans un hôpital. À mon incapacité à supporter la douleur, la mienne et celle des autres. Ce sont tous des traits que j'ai hérité de ma mère. Sinon elle serait présente, et moi je n'aurais pas ce désir inattendu et puissant qu'elle soit là.

Wilson me demande si je veux voir le bébé après l'accouchement. Je me contente de le regarder. Wilson répète : « *Do you want to see the baby ?* » Pietro intervient pour moi et répond non. Mais Wilson souhaite aussi savoir si nous donnons notre consentement à une « *post mortem examination* » et au don des organes pour la recherche. À son ton calme et expéditif, on sent qu'il est rodé à ce genre de pratiques. Pietro répond à nouveau. Il donne notre consentement aussi sur le baptême et la crémation. Il veut que l'hôpital s'occupe de tout et que l'enfant soit enterré à Londres. Il faut que je signe pour ce qu'ils viennent de se dire verbalement, aussi Pietro me passe le stylo.

Je signe, sans rien lire de ce qui est écrit. Je ne distingue que les caractères imprimés en gras : « *I agree..., I understand..., I have been told..., I understand...* »

Mais ce n'est pas la vérité. La vérité est que je ne pourrai jamais comprendre ce qui nous est arrivé. Et qu'à partir de ce moment je n'aurai que la possibilité de regarder en arrière.

Une jeune infirmière entre dans la chambre. Elle porte un bol recouvert d'un plastique bleu et un verre d'eau.

Le voilà, le point de non-retour.

– Ce sont des hormones. Elles servent à préparer l'utérus à l'accouchement, me dit Pietro, après avoir écouté le médecin.

– Qu'est-ce qui va se passer ensuite ? dis-je dans un balbutiement.

– Ils sont en train de préparer la salle d'échographie pour l'injection intracardiaque. Bientôt ils l'endormiront.

Wilson me tend le médicament.

Je suis redevenue Alice. J'avalerai cette pilule et je rétrécirai, je deviendrai minuscule jusqu'à disparaître. Ou bien je deviendrai tout à coup géante. Je percerai le plafond, passerai par-dessus les toits et, d'une foulée, j'écraserai cet hôpital.

Je prends le médicament du bout des doigts. Je le pose sur ma langue. Pietro me donne le verre d'eau. Je bois, et je l'avale.

Nous attendons dans la salle de consultation. Pietro a rallumé son téléphone portable et passe des coups de fil. Il donne des nouvelles, remercie, salue. Il se tient occupé. Je ne suis capable que de compter les secondes, de me balancer doucement sur mon fauteuil, comme si je chantais une berceuse. Le blanc délavé de cette pièce la fait ressembler à une salle d'isolement pour malades mentaux.

– C'est ta gynécologue, m'encourage Pietro en me tendant le téléphone puis en le retirant immédiatement. Marina ? dit-il. Oui, elle est bouleversée. On va bientôt lui faire la piqûre. On nous a dit que nous pouvions retourner à notre hôtel. Les contractions ne commenceront pas avant demain... Oui, demain, en fin d'après-midi. On lui administrera d'autres hormones pour déclencher l'accouchement... Je peux lui donner un somnifère ? Je crois que nous en aurons besoin tous les deux.

Je suis une goutte d'eau sur la pointe d'une stalactite : je dépends des événements climatiques. Je ne sais pas si je tomberai ou si je resterai suspendue là pour l'éternité. Mon téléphone aussi se met à sonner. Il est au fond de mon sac, enfoui, enseveli. Pietro fouille dans mes affaires, réussit à le sortir.

– C'est ta mère. Parle-lui.

Et je sens la glace qui fond petit à petit. Là, je suis prête à tomber, à être réabsorbée par une formation séculaire, à retourner à mon élément d'origine.

– Maman... Nous allons bientôt le faire.

De l'autre côté, un gémissement étouffé.

– Ma Luce...

– Il faut que j'y aille maintenant, dis-je en refermant le téléphone avant de l'éteindre.

Le parcours de la goutte est déjà terminé. Je ne lis son message que plus tard à l'hôtel : « Pardonne-moi de ne pas être là. Je t'aime fort. Maman. »

On me fait m'allonger dans la salle d'échographie. Wilson allume la machine. Je vois son visage et celui d'une assistante qui s'affaire avec des médicaments, des aiguilles et du coton. Au-dessus d'eux, la lumière des lampes LED encastrées dans le faux plafond. Pietro est posté à côté de mon buste, il s'interpose entre moi et le moniteur, pour m'empêcher de regarder. Dans quelques secondes, mon fils apparaîtra pour la dernière fois.

Cette échographie est comme toutes les autres. Le gel sous le nombril, la surface lisse de la sonde. Wilson me dit que cela ne va durer que quelques secondes, ils doivent seulement identifier un point précis. Je me relève dans un sursaut.

– Je vais vomir, dis-je.

Mais ce n'est pas vrai. Je veux m'enfuir. Lorenzo aussi se comporte comme d'habitude : il bouge, donne des coups, pousse des mains et des pieds contre mes organes, en appuyant sur les parois du foie, du cœur, de la rate, et je suis la seule à pouvoir le sentir.

L'assistante vérifie sa seringue à contre-jour. Elle est très longue, terriblement fine, et elle va rentrer à l'intérieur de moi pour arrêter son cœur. Wilson lui fait signe de la baisser. Sa main est lisse et fuselée, et semble d'une grotesque inadéquation avec la tâche qu'elle est en train d'accomplir. Il plisse le front, et me demande si la nausée est passée.

– *I'm sorry*, me dit-il.

Je ne sais pas si c'est pour moi, pour Lorenzo ou pour lui-même, mais il a l'air véritablement désolé. Il me promet que l'enfant n'éprouvera aucune douleur. Il emploie de nouveau le mot « *pain* » et ajoute le verbe « *sleep* » que j'ai toujours associé aux contes et au baiser de la bonne nuit. Mais le sien ne sera pas un baiser et ce n'est pas un conte. De quoi qu'il s'agisse, ce n'est pas écrit dans ma langue. Je ne suis pas dans mon pays. Dans mon pays, je serais un hors-la-loi, un assassin. Le visage de Pietro s'approche pour cacher le reste. Il me regarde avec une tendresse infinie. Je prends la mesure de ma peine en voyant la sienne. Je voudrais lui dire tant de choses, mais un long « chuuut » nous précède, qui obstrue mes sens et me fait fermer les yeux.

Je ne veux rien voir, Pietro. Je veux être plongée dans le noir, qu'il absorbe le ciel et toutes les étoiles.

Serre-moi fort. Comme ça, le plus fort possible. Empêche-moi de bouger, sinon l'instinct va reprendre le dessus. Celui qui jusqu'à hier me faisait traverser la rue avec une prudence redoublée, en gardant une main sur mon ventre. Celui qui me faisait vérifier toutes les dates de péremption, les principes actifs et les conservateurs. L'instinct de protection.

Tu ne peux pas le sentir, Pietro, même si tu es en train de pleurer et que tes larmes se mêlent aux miennes. Elles coulent le long de mon cou, mouillent mes cheveux.

Empêche-moi de bouger. Je ne sais pas si je serai assez forte. Peut-être ne l'ai-je jamais été. Tu le dis toujours : sous cette carapace se trouve une petite fille. Et maintenant, tu ne peux pas la sentir, l'aiguille qui entre comme le jour de l'amniocentèse. La même petite morsure. Sauf qu'aujourd'hui Lorenzo bat des jambes, il est tellement grand, il me donne des coups de pied dans le ventre.

Un dernier fourmillement. Timide, incertain, comme le premier qu'il fit cette nuit de lumière.

Puis, plus rien.

Wilson nous dit que c'est fini.

Oui, c'est fini.

Plus rien ne bouge en moi. Je peux me relever, retourner à l'hôtel. Demain on m'hospitalisera pour l'expulsion, il faut que je me repose.

Maintenant tout est en ordre, nous explique Wilson. Ils ont mis quelques minutes de plus que prévu, mais tout s'est déroulé selon le protocole.

Ensuite, une séquence floue de photogrammes. La pluie qui a lavé l'asphalte. Pietro qui m'escorte jusqu'à la voiture. Moi, enroulée dans son écharpe. Le froid de cet après-midi londonien. La tiédeur de l'habitacle. La voiture garée devant une pharmacie Boots. Le visage de Pietro déformé par la vitre, sous le néon du magasin, pendant qu'il achète les médicaments. Pietro qui marche sur l'asphalte brillant comme du fer. La portière qui se referme. De nouveau la tiédeur. Les lumières des décorations. L'entrée de l'hôtel. Le portier qui m'observe. Le concierge. Nos passeports sur le comptoir. Les valises. Les lampadaires. L'ascenseur. La chambre, petite et chaleureuse, aux couleurs automnales. Comme si nous n'étions que nous deux dans un voyage d'agrément. Mais ce n'est pas le cas. La mort est avec nous, à l'intérieur de moi et tout autour. Là où avant se trouvait Lorenzo.

Je m'approche de la fenêtre. Sur le rideau sont dessinés des losanges. Je pose la main dessus comme pour en cacher un, comme pour remplir le vide d'une autre absence. Et j'ai l'impression de le sentir encore une fois. Mon fils qui donne des coups.

Lorenzo bouge.

J'appelle Pietro.

– Il bouge, lui dis-je.

– Wilson m'a prévenu que tu pouvais avoir cette sensation, répond-il en préparant une dose de somnifère.

– Non, Pietro, il bouge encore, je te le jure.

– C'est impossible, Luce. C'est ton esprit, me dit-il en me tendant le verre, avec la pilule de l'oubli.

Il a sûrement raison.

Je continue à regarder par la fenêtre en vidant le verre d'une traite. Que ce soit un somnifère ou tout autre chose, qu'est-ce que ça peut faire maintenant ? Je suis Alice. Et j'ai décidé de suivre le Lapin blanc dans ce trou du monde. Les immeubles dehors ressemblent à des visages, froids, distants. Les fenêtres, à autant d'yeux fermés.

Pour ne pas voir. Pour oublier.

Une légende raconte que les enfants, dans le liquide amniotique, sont omniscients : ils connaissent le passé, le présent, l'avenir, et tout ce qu'il y a à savoir. Les langues, les traditions, les métiers, les dangers, les aventures, la vie. Mais ensuite, il est dit qu'au moment exact de l'accouchement un ange efface du nouveau-né le souvenir de ce qu'il avait appris de droit divin. L'effort de l'expulsion hors de la mère entraîne une chute métaphysique, oblige à oublier, et la rupture des eaux ouvre un passage qui se referme aussitôt. Ainsi, en un seul bond dans le monde s'annule l'infini savoir accumulé dans le ventre maternel.

C'est une légende, un mythe, une théorie philosophique. Et une explication. Du dialogue que pendant sept mois j'ai entretenu avec mon fils. Du jour où j'ai commencé à lui parler, je l'ai fait comme si j'interpellais un être hors du temps, qui aurait pu comprendre, de façon intuitive et absolue, la nature intime de mes pensées. Comme s'il n'habitait pas seulement mon corps, mais aussi mon âme. Et maintenant qu'à la place de ses petits coups, que je prenais souvent pour des réponses, ne reste plus qu'une masse de chair immobile, je m'efforce d'annuler moi aussi tout ce que j'ai appris, et de reprendre depuis le début le lent chemin vers la connaissance.

Nous traversons le service d'obstétrique de l'hôpital de Westminster, et nous sommes comme deux carcasses.

Comme des corbeaux, des pensées noires volent autour de nous.

Pietro me touche avec prudence, comme s'il avait peur de me briser. Il a passé toute la nuit à me veiller, même s'il prétend qu'il a réussi à s'endormir. Quant à moi, sous l'effet du somnifère, j'ai abdiqué pour un sommeil fluide et homogène, sans rêves. Je me suis réveillée vers l'heure du déjeuner, les yeux gonflés et la bouche pâteuse, les mains accrochées au matelas, loin du ventre. Loin de lui, qui ne bouge plus.

La première chose que j'ai faite, c'est de pleurer, puis je me suis levée et j'ai mangé une demi-brioche. Pour tout le reste, je m'en suis remise à Pietro. Il m'a soulevée et m'a accompagnée à la salle de bains. Il m'a déshabillée et m'a installée au fond de la baignoire. Je me suis laissé laver par ses grandes mains amoureuses, avec le gel douche de l'hôtel. Il a vidé tout le flacon. J'ai regardé l'eau qui s'écoulait des orifices de la douchette : la pluie initiale, les gouttes qui se dispersaient sur les épaules, le ruisseau qui se formait le long du duvet épaissi par les hormones et s'écoulait le long de la ligne pigmentaire qui sépare le ventre en deux. Une frontière de mélanine qui me traverse le nombril. Ce nombril en forme d'étoile. À sa droite a surgi un petit point rouge, le trou provoqué par la dernière injection, la preuve irréfutable de notre faute. L'eau chaude, en passant dessus, en a accentué l'inflammation. Nous sommes restés muets tous les deux, même quand Pietro me frictionnait le corps avec la serviette et me séchait les cheveux. Les seuls mots étaient ceux du téléviseur, allumé sur une chaîne au hasard. Des sonorités étrangères qui se mêlaient et diluaient le silence.

Le Dr Rogers, la même femme qui hier après-midi a donné son accord pour l'interruption, nous guide maintenant dans les couloirs. C'est elle qui suivra la procédure d'expulsion.

Nous sommes au cœur du service, arrivés au but de ce pèlerinage. Les portes de verre dépoli des couloirs sont fermées pour isoler les femmes qui accouchent, mais des échos de leur travail se propagent dans les pièces comme dans un cercle dantesque. Une odeur de transpiration m'agresse, avec celle tout aussi âcre de l'ammoniaque et du désinfectant, mais je ne parviens pas à saisir celle de la vie qui surgit de tous côtés, parce que la mort s'est immiscée dans mes entrailles.

Pietro a les yeux cernés, il ne s'est pas rasé et paraît dix ans de plus que d'habitude. Je sais qu'il est en train de m'examiner, il veut comprendre jusqu'à quel point j'ai l'intention de résister. Je serre fort les dents, et je continue jusqu'à éprouver une forte douleur à la mâchoire. Ce n'est rien par rapport à ce qui m'attend.

La femme docteur ouvre une porte et nous invite à entrer dans une pièce sobre. Un lit médicalisé doté d'une rambarde amovible en aluminium trône au milieu, ainsi qu'une chaise blanche et un fauteuil bleu sur un sol en caoutchouc de la même couleur. Il y a aussi une salle de bains : un rectangle de carreaux bleus recouvert d'une patine grasse, occupé par des toilettes, un lavabo et une baignoire. Un chewing-gum est resté écrasé sur le miroir, comme un insecte indésirable, comme pour nous rappeler que le degré de civilisation d'un pays ne se mesure pas à son niveau de propreté.

On me donne une chemise en coton qui s'attache dans le dos. Avant de s'en aller, la femme me demande de l'enfiler. Elle reviendra dans quelques minutes pour introduire dans mon vagin un médicament destiné à provoquer les contractions. Il faudra que je le prenne toutes les trois heures, d'abord par voie vaginale, puis par voie orale.

Sur un mur est accroché un poster d'information qui représente une femme au moment de l'accouchement :

les positions conseillées pendant le travail, pour alléger la douleur, faciliter la sortie et reprendre des forces. Dans mon cas, il n'y aura pas de collaboration, mon utérus devra tout faire tout seul, ce qui implique une douleur plus grande, une punition plus sévère. La femme du dessin est grande, svelte et efficace. Dans une vignette elle est debout, dans une autre, à genoux, dans une autre encore, à quatre pattes et enfin recroquevillée sur elle-même. De l'extérieur, du couloir, d'une des salles de travail retentit comme un cri animal. Je ne peux pas écouter. J'effleure du doigt le faux ventre vide de la femme du dessin et me tourne vers Pietro.

– Je croyais que c'était quelque chose de naturel.

– Quoi donc ?

– Faire un enfant.

Pietro s'approche et m'aide encore, comme il l'a fait ce matin. Il me déshabille à nouveau, m'enfile la chemise et me fait m'allonger sur le lit. On dirait que je lui ai délégué jusqu'au plus minime de mes fonctions vitales.

Le drap glisse sur le matelas en plastique. Le lit est inconfortable et, bien qu'ergonomique, il reste hostile aux formes de mon corps. Je touche les barres latérales et m'exhorte à résister. Il pourrait falloir plus d'un jour.

Le Dr Rogers est de retour pour m'administrer le médicament dans le vagin. Je ne pose aucune question dans cette langue qui ne m'appartient pas. J'écarte les jambes, docile. Et j'étouffe un gémissement seulement lorsque le médicament touche le col de l'utérus. Ensuite la femme retire ses doigts, enlève son gant de latex et me sourit. Un sourire qui se contredit lui-même, mêlé d'impuissance et de compassion.

Quelques minutes après, je commence à trembler. Pietro croit que c'est la peur, mais j'ai froid. Quand les tremblements se font plus insistants, il appelle l'infirmière pour prendre ma température, mon front est brûlant. La jeune femme d'origine sud-américaine et à l'air affairé me met un thermomètre dans la bouche. Trente-neuf deux en quelques minutes. Tandis que l'infirmière retape l'oreiller, les premières douleurs me prennent au bas-ventre. Pietro, comme le chef d'un orchestre invisible, appelle aussi l'anesthésiste, un Anglais en blouse verte avec des lunettes rondes. Il lui ordonne de me donner tout de suite de la morphine. Il a payé pour cette mort irréelle et il est décidé à obtenir le meilleur service possible.

Ils m'installent une transfusion dans le bras et placent dans ma main une sorte de télécommande. Je peux appuyer aussi souvent que j'en éprouve le besoin, de façon à réguler l'administration de morphine.

– Je ne veux pas te voir souffrir, dit Pietro.

Mais je sais déjà que je n'appuierai pas sur ce bouton. Je dois sentir la douleur. Peut-être que je veux me l'infliger comme pour expier. Ou bien, simplement en ai-je besoin parce qu'elle a le pouvoir de me distraire, de me libérer de cet insupportable sentiment d'abandon et d'échec. Dans tous les cas, je sais qu'un jour elle me sera utile, elle me fera me sentir moins seule, moins coupable.

La première contraction me submerge comme une vague. Je me tourne sur le côté en serrant les dents. Je me crée une image mentale : un après-midi d'été, je suis allongée sous un mélèze, en train de lire sous les brins légers de la bruyère. Ça ne marche pas. Un rot me secoue l'estomac. Ma tête tourne. Ma transpiration est glacée. L'infirmière tend à Pietro une bassine. Je vomis dedans. Un liquide jaune avec des grumeaux blanchâtres : le peu de nourriture que j'ai réussi à absorber dans la journée.

J'essaie de me lever, mais les contractions me font l'effet d'une lame de fond qui me plaque sur le lit. Pietro s'en aperçoit et appuie sur le bouton de la morphine. Dans mon ventre, une chute, un glissement. C'est Lorenzo qui se déplace, poussé quelques centimètres plus bas, vers la paroi interne du vagin. Puis il s'arrête.

C'est le soir. Nous sommes seuls dans la pièce. Pietro est assis sur le fauteuil bleu. Je suis toujours sur le lit, proie de la fièvre, des contractions et des nausées. Les effets collatéraux des hormones. Pietro a épuisé tout le répertoire : baisers, caresses, câlins. À intervalles réguliers, il me répète seulement : « Je t'aime. » Il n'ajoute rien, et je sais qu'il n'a jamais été aussi sincère.

Tout à coup il se lève et va appeler le Dr Rogers. Ils parlementent dans le couloir, derrière la porte restée ouverte. Le docteur demande à l'infirmière d'entrer dans la chambre. Toujours la même femme distante qui fait son tour de garde.

Cette fois-ci, elle me donne du paracétamol et me fait une prise de sang. Elle met un temps infini à trouver ma veine, me causant de nouvelles souffrances. Puis elle s'en va, sans un mot ni même un salut de réconfort.

Je m'endors, la main dans celle de Pietro. Après un temps indéfini, la douleur d'une contraction m'oblige à rouvrir les yeux. La tête me tourne encore, ma bouche est desséchée. Je reconnais la silhouette d'une femme assise sur la chaise en métal à côté du lit. Elle n'était pas là auparavant. C'est peut-être une hallucination, mais elle pourrait bien être réelle. Elle pourrait être ma mère. Et j'aimerais que ce soit elle, parce que je me sens plus enfant que jamais. Je fais le point sur les cheveux coiffés, les traits du visage endurcis, et puis, lentement, sur tout le reste.

Ce n'est pas ma mère. C'est Matilde, la mère de Pietro.

Son buste est penché en avant. Je détecte une lueur farouche dans ses yeux, un halo de doute qui me fait tressaillir. Elle pourrait s'emparer de l'oreiller et me l'expédier en pleine face.

Instinctivement, je me tourne vers Pietro, mes bras fendent l'air et je hurle. Il se précipite vers moi.

– Luce, me tranquillise-t-il, essaie de te calmer.

Matilde esquisse un salut, un signe timide.

– Je ne veux personne, dis-je à Pietro avec une voix cassée. Promets-le-moi.

Pietro soupire.

La silhouette quitte immédiatement la chambre, se dissipe comme une hallucination. Et Pietro me regarde comme si j'étais folle. Nous sommes seuls. Il n'y a personne d'autre avec nous.

Treize heures passent qui sont comme mille ans. J'ai l'impression d'être née ici, de n'avoir jamais rien vu en dehors de cette pièce. Les contractions sont toujours plus rapprochées, comme des morsures répétées d'un fauve qui lentement me dévore. Je mourrai aussi ici, je le sens.

Je suis épuisée. Pendant sept mois, mon corps a travaillé sans arrêt, il s'est évertué à construire une vie cellule après cellule, tissu après tissu, et tout cet effort pour quoi ? Pour aboutir ici, dans cet enfer sans issue. Et maintenant ce corps est fatigué, tellement fatigué que l'on ne peut pas s'étonner que l'utérus ne se soit dilaté que d'un centimètre à peine. Le Dr Rogers, un doigt à l'intérieur de mon vagin, a l'air inquiet. Dans quelques heures ce sera Noël, elle finira sa garde et pourra rejoindre sa famille chez elle. Si la dilatation ne s'accélère pas, elle ne peut pas me garantir son assistance.

Elle et Pietro discutent de nouveau vivement dans le couloir. Il déblatère quelque chose en anglais, gesticule furieux. Puis ils reviennent dans la pièce, accompagnés de l'anesthésiste.

Ils veulent me faire une péridurale pour faciliter la dilatation, mais je m'y refuse.

Le Dr Rogers doit quand même provoquer la perte des eaux.

J'écarte de nouveau les jambes. Je ne vois même pas ce qu'elle a dans les mains, un objet pointu. Je le sens remonter dans mon corps comme un serpent venimeux et, après un coup net, un hameçon qui se saisit de ma chair.

Je hurle.

À partir de ce moment, la douleur devient insupportable. La contraction qui s'ensuit me fait me plier en deux. Je presse mon front sur le métal de la rambarde et je pousse un gémissement sourd et rageur qui provient d'une partie inconnue de moi. Pietro me masse le dos, mais je lui crie de s'en aller :

– Va-t'en !

Je n'en peux plus, je veux un calmant. Je m'agrippe aux barrières du lit et le demande désespérément, tandis que la tenaille de fer que j'ai dans le ventre continue à se resserrer autour de Lorenzo. Maintenant je veux qu'il sorte, qu'il me libère, et je me déteste pour cela.

L'anesthésiste me demande de m'asseoir sur le lit, mais je me sens brûler. Le docteur essaie de m'aider. Elle me soulève, tandis que je pousse un nouveau hurlement furieux. Je ne me rends même pas compte de la piqûre dans mon dos. La douleur consume mes entrailles. Comme si je brûlais vive.

Après quelques minutes, la péridurale fait son effet et je me calme. J'ai les jambes tordues sous le drap. De temps en temps, le Dr Rogers vérifie la dilatation. Les contractions vont et viennent, atténuées par l'anesthésie.

Je suis en train de le pousser vers l'extérieur, et maintenant que la douleur est atténuée, une partie de moi lutte pour le garder encore à l'intérieur. Ce sont des mouvements non coordonnés. À chaque contraction, il descend de quelques centimètres mais ma tête tente de l'en empêcher. Elle se rebelle, cherche à soumettre mon corps, mais mon corps ne m'appartient plus.

Rogers soulève le drap et dit :

– *I can see the head. Now, push. Please, push.*

Je sais que je devrais pousser. Le docteur me le demande, et aussi Pietro, tout en séchant mon front.

– Laisse-le partir, Luce.

– *Push*, insiste la femme.

Je finis par me rendre.

Lorenzo semble éclore, emportant avec lui une chose liquide. Une cruche qui se casse et son contenu qui se déverse dans les draps. Pietro me cache dans ses bras pour ne pas me le laisser voir. Mais moi je le sens, Lorenzo qui a quitté mon corps. Tellement minuscule, et pourtant tellement immense. Comme un cœur qui bat. Comme Dieu.

L'infirmière dispose un tissu sous mes fesses pour absorber le sang. Je me laisse manipuler. Je suis une poche vide, une coquille cassée. Je suis brisée et rien ne me fera jamais plus redevenir entière.

Un siècle plus tard, le Dr Rogers revient avec le corps de Lorenzo dans un couffin blanc. Un prêtre est avec elle, un Indien, venu pour donner la bénédiction.

Je plante mon regard dans l'osier tressé. Lorenzo est là, à un pas de distance, mais je ne peux pas le voir. Le prêtre lève la main pour le bénir. Pietro est à côté de lui, il regarde au-delà du bord du couffin. Il le touche.

Ensuite, ils sortent tous.

Je crois qu'enfin je vais mourir, mais non, je continue à respirer.

Je l'ai laissé partir dans ce succédané de cercueil sans rien faire, sans que rien ne survienne. Dieu contenu dans une petite nacelle. Dieu qui s'est fait homme dans la nuit de Noël, avec les bras et les jambes trop courtes, le buste étroit et l'estomac trop grand. Dieu qui quitte la pièce, confié à un prêtre, maigre, aux yeux tristes.

Dieu qui disparaît on ne sait où, pour toujours, loin.

Hors de moi.

Seconde partie

« Le Seigneur les dispersa de là sur toute la terre ;
ils cessèrent de bâtir la ville. »

Genèse, XI, 8, la tour de Babel

Quand j'étais enfant, je tenais des lucioles dans mes mains fermées et je les écrasais pour découvrir le secret de leur lumière. Quand je les rouvrais, la mort se présentait à moi sous forme d'insecte, dépourvue d'un quelconque pouvoir de fascination ou de mystère. En fait de lumière, il n'y avait rien d'autre qu'un insecte mort.

Nous passions les étés dans une pinède au bord de la mer. Un camping qui a dans mon souvenir l'odeur ronde des pommes de pin écossées, du thé glacé à la pêche et des crèmes solaires sur la peau sombre de ma mère.

Dans un des établissements du littoral, il y avait une piscine. Ma mère avait peur de la mer, disait qu'elle était dangereuse, polluée, de sorte qu'il ne m'était permis de me baigner que dans cette mare bleue artificielle couverte d'insectes et de feuilles mortes.

Après le déjeuner, elle se dorait au soleil comme une friture bien huilée, et me disait d'attendre seize heures pour aller me baigner. Je devais attendre la fin de la digestion. Dans cette attente interminable, face à l'indifférence béate de ma mère – engoncée dans un de ses maillots à fleurs très voyants –, pour tuer le temps, je jouais avec la mort et me racontais des histoires.

Une variété impressionnante d'insectes restait prisonnière de l'eau de la piscine. Des coccinelles, des guêpes, des fourmis, des scarabées. Partageant tous ce même destin de mort par noyade. Mais je pouvais changer les choses. Une fillette de huit ans, en maillot de bain jaune et les pointes de ses boucles blondies par le soleil, qui le temps d'une journée a le pouvoir d'un dieu : celui d'interférer avec les lois de la nature et d'infléchir le sort de toutes ces existences.

Je sauvais en premier les coccinelles, en leur offrant le salut d'une aiguille de pin. Je les examinais tandis que, comme des funambules incrédules, elles s'acheminaient tant bien que mal sur ce fil de bois. J'imaginais ce à quoi elles pouvaient penser. J'avais appris qu'en général elles attendaient toujours quelques minutes avant de rouvrir leurs ailes et de prendre leur envol.

La peur de me faire piquer m'empêchait de porter secours aux guêpes et aux abeilles. Quant aux scarabées, je concentrais tous mes efforts pour dépasser mon dégoût, mais il arrivait que j'intervienne trop tard, et je restais alors, passive, à observer leurs cadavres flotter à la surface de l'eau, bercés par le courant des pompes à eau.

Les fourmis étaient trop nombreuses et trop petites. La plupart échappaient à mon attention de secouriste. Je les prenais au hasard, innocemment. Mais cela ne m'épargnait pas d'éprouver du remords pour toutes celles que je laissais mourir.

Je me souviens qu'un jour deux d'entre elles, une grande et une petite, dérivaient ensemble à côté d'un filtre. La grande semblait encore vivante, accrochée par ses pattes antérieures à la carapace de la petite. Peut-être sont-elles mère et fille, ai-je songé alors. Et instinctivement, je les ai recueillies sur une feuille de lierre et les ai posées sur une tommette chauffée par le soleil. La petite ne bougeait pas. La mère tournait autour d'elle, comme incapable de faire autrement.

Peut-être aurais-je dû les laisser se noyer ensemble.

Parfois, le matin, je me réveille avec la conviction qu'il est encore à l'intérieur de moi. Embrumée dans une torpeur immémoriale, je porte une main à mon ventre et je le cherche. À la place du ventre rond, je ne trouve qu'une sacoche vide, dégonflée. Le ventre a fondu. Ma peau fait penser au tissu des chapiteaux de cirque affalés sur eux-mêmes à la fin d'une tournée.

Lorenzo n'existe plus. Il n'habitera jamais dans cette maison et sa chambre restera fermée un temps indéterminé. J'ai demandé à Pietro de ne rien déplacer, de tout laisser tel quel. Le matin, je dois me hisser de mon lit et rassurer mon esprit, lui expliquer qu'il nous faut apprendre à cohabiter avec la réalité de cette absence.

C'est le dernier jour de l'année. Pietro est dans le salon en train de regarder la télévision. Au journal alternent les reportages sur les préparatifs du réveillon qui animent les maisons et les restaurants de tout le pays, et les festivités qui ont déjà eu lieu dans d'autres parties du monde. Ces jours de fête nous consentent une pause. Les gens sont trop occupés pour penser à nous.

Nous pouvons faire semblant d'être normaux.

De temps en temps, Pietro me regarde depuis le canapé et me voit pour ce que je suis. Une maison dont les murs portent les traces plus claires des meubles que les camions de déménagement ont emportés, dont les prises de courant ne servent plus à rien, de même que les clous fichés dans le mur des tableaux retirés, le portemanteau vidé à l'entrée. Quand Pietro me regarde, c'est cela qu'il voit : une maison abandonnée. Un endroit désaffecté.

J'entre dans la salle de bains. Je fais glisser mon pantalon de pyjama sur le tapis de bain et j'enlève mon haut.

Voici mon corps, me dis-je face au miroir. Autrefois il était habité. Il a été ouvert puis refermé. Bombardé d'hormones, ouvert par les médicaments, déformé par la cellulite. Il est gonflé comme les peintures d'un mur après une fuite d'eau. C'est un corps sans usage, désormais sans forme ni but. C'est une blessure qui saigne, et d'après les médecins il continuera de saigner encore un moment. Ce n'est plus le corps d'une mère, ni celui d'une jeune femme. Ma poitrine fait deux tailles de plus que d'ordinaire, les tétons se sont assombris et dilatés d'au moins un centimètre, mais avant de quitter l'hôpital à Londres, on m'a fait prendre des médicaments pour empêcher la montée de lait, et ces seins ne sont donc pas ceux qui, gros et épanouis, doivent nourrir une nouvelle vie. Mon visage est enflé et pâle. Au-dessus de ma lèvre supérieure, des taches du masque de grossesse donnent l'impression que j'ai des moustaches. Ma peau n'est pas lumineuse comme elle l'était jusqu'à il y a quelques jours. En partant, Lorenzo a éteint toutes les lumières. Il a juste oublié de fermer la porte. Mais de toute façon, il n'y a plus rien à prendre là-dedans.

Toutes ces dernières années, j'ai noté les pics d'ovulation et les caractéristiques de mon cycle menstruel sur un calendrier accroché au mur de la salle de bains. Cette année, à partir des premiers jours de juillet, j'ai noté l'évolution d'un fœtus, de semaine en semaine, pour rendre plus concret ce que je portais en moi. Il s'agit surtout de petites croix, de signes que moi seule peux comprendre : les nausées et les changements de mon corps, les progrès de Lorenzo, le passage du stade embryonnaire à celui de fœtus, la formation et le développement des organes, des os, des articulations. J'ai noté tout ce qui me paraissait important : l'éclosion de ses papilles gustatives, l'apparition de son ouïe et de sa capacité à reconnaître ma voix. À la vingt-sixième semaine, le manuel de grossesse indiquait qu'il pouvait ouvrir les yeux, pour voir, je crois, l'intérieur de mon ventre, cette planète rouge et battante qui pendant encore deux gros mois devait être sa demeure.

Aujourd'hui il est ouvert à la dernière page : une aquarelle provençale qui représente un lac au milieu des genévriers enneigés. Les derniers jours de l'année sont vides, ils n'ont pas besoin de notes. Ils restent intacts dans l'esprit, comme les vers des poésies et des chansons qu'on apprend dans l'enfance. Comme ceux que ma grand-mère, dans ses délires, récite à voix haute. Comme si dans son esprit il ne restait de place que pour les premières années de sa vie.

Je n'ai pas envie de le feuilleter, ni de le remplacer. Le temps, au moins sur ce mur, s'arrêtera en décembre.

Un morceau de ciel, par-delà la fenêtre, se colore des lumières qui pleuvent sur les rues et les immeubles. La ville salue la nouvelle année à grands cris. Après nous avoir tenu compagnie tout l'après-midi, les pétards continuent à exploser en fond sonore. Nous sommes couchés depuis huit heures du soir, nous avons dîné d'une soupe et d'un morceau de fromage, et nous ne dormons pas. Ce sont les cris et les feux d'artifice qui nous avertissent du passage de minuit, mais nous n'avons même pas le courage de nous adresser des vœux. Pas de compte à rebours cette année, juste quelques messages sur le téléphone. Les parents et les amis qui savent. Leurs pensées qui vont jusqu'à nous dans une nuit de fête comme celle-ci.

Cette absence finira par m'anéantir. Maintenant je comprends Benjamin, mon hamster. Je la revois se jeter sur ses petits une bouchée après l'autre. Maintenant je sais pourquoi elle l'a fait. Parce qu'elle voulait les avoir encore à l'intérieur d'elle.

Une pluie de scintillements tombe derrière la fenêtre.

– Il faut que nous ayons du courage, dit Pietro, il faut regarder devant nous.

Sa voix est si lointaine. C'est la voix de l'homme que j'aime, du père de mon enfant. Il est là, juste derrière moi, mais c'est comme s'il me parlait depuis une autre pièce. Comme si un mur de béton armé nous séparait, une porte qui ne s'ouvre pas. Je l'imagine comme ça pendant qu'il essaie par tous les moyens d'entrer. Il donne des coups de pied dans la porte, crie contre le mur, le frappe avec ses épaules. Il essaie par tous les moyens, mais n'obtient rien. Je suis une chambre inviolable dans une maison vide. Une maison dévastée, saccagée. C'est inutile d'insister, cette porte est condamnée.

Les amis se tiennent à l'écart. La douleur que nous éprouvons prend tout le monde au dépourvu. Peu d'entre eux savent ce qui s'est passé. Pietro n'a appelé que les plus intimes. Mais les informations ont circulé d'un téléphone à l'autre et nous ne savons pas comment elles se sont enrichies ou appauvries le long du trajet. Comment elles ont été transformées.

J'imagine que les amis qui ont des enfants sont encore plus mal à l'aise qu'à l'époque où ils pensaient que nous ne pouvions pas en avoir. J'invente des excuses pour ne pas les voir. Leurs maisons sont des pays étrangers. Ils m'ont déclaré la guerre. Leurs atmosphères sont pleines d'odeur de lessive pour enfants, de fumets de purées et de couches sales. Leurs maisons résonnent de pleurs, de cris, de caprices. Elles sont défendues par une armée de petits trains et de peluches. Je ne fais pas le poids.

Giorgia et Paolo deviendront parents dans un peu moins d'un mois. Quand je rencontrerai l'enfant de Giorgia, je penserai que mon fils aurait eu le même âge. Et chaque fois que je le verrai, je repenserai au temps où sa mère et moi étions enceintes. À l'enthousiasme dans le regard de Giorgia, et à mes malaises et mes nausées, comme un prélude à l'impossibilité de devenir mère.

Ensuite, il y a Ivan et Neri, qui m'appellent avec le même ton que d'habitude. Ils demandent si nous avons besoin de compagnie, si nous avons envie de bavarder.

Quand j'aurai envie de revoir des gens, ils seront les premiers.

Ma belle-mère a dispensé sa leçon de catéchisme à Pietro : « Vous n'avez pas besoin d'entrer dans les détails. Nous devons seulement dire que Lorenzo n'a pas survécu, que vous l'avez perdu. » Et c'est précisément ce que dit Pietro chaque fois que nous rencontrons quelqu'un. Il dit que nous l'avons perdu. Comme un trousseau de clés ou une partie de cartes. Il arrive que le concierge de l'immeuble ou la dame de la teinturerie, en nous rencontrant, nous demande : « Alors, quand est-il né ? » Et c'est toujours Pietro qui répond : « Malheureusement nous l'avons perdu. » Et c'est comme lancer un seau d'eau glacée. On les voit qui en restent pétrifiés. Les malheurs ont cet effet : ils arrachent les mots de la bouche, ou la remplissent de phrases de circonstance.

Mais le malheur qui nous est arrivé est particulier, condamné à rester inconnu, et donc incompris. Il en est qui disent : « Je suis désolé, ce sont hélas des choses qui arrivent », d'autres : « Vous êtes jeunes, il faut en refaire un tout de suite. » C'est ainsi que Lorenzo, l'enfant *perdu*, celui qui *malheureusement n'a pas survécu*, devient tout à coup remplaçable. Un météore qui a traversé le ciel sans faire de dégâts.

Je n'ai pas vu son visage. Je l'ai laissé partir de cette chambre d'hôpital sans bouger un muscle. Pietro, lui, l'a caressé, a serré sa petite main entre ses doigts. Il ne m'a rien dit de son aspect, des sensations qu'il a éprouvées, je ne le lui ai pas permis. Mais il est tellement en paix avec lui-même et avec Lorenzo qu'il veut revenir à Londres pour l'enterrement, rapporter ses cendres et les placer dans l'urne du caveau de famille. « Nous devons réessayer, Luce. Le plus tôt possible. » Je me demande où il trouve la force pour le dire. Moi je voudrais lui dire que j'ai mal dans les os, et je sais que ce n'est rien par rapport à la souffrance qu'aurait pu éprouver notre enfant. C'est bien pour cela que nous l'avons fait, c'est ça ? Parce que nous voulions lui épargner une vie atroce. *Mais il n'est pas parti, tu sais, Pietro. Il est encore là. Non, il n'est pas un météore qui a traversé le ciel sans provoquer de dégâts, il a tout détruit sur son passage. Il a fait table rase du monde entier. Si toi, tu es encore debout, c'est bien, tant mieux pour toi. Mais moi j'en suis incapable. Je ne peux pas imaginer le remplacer comme on le ferait d'une paire de chaussures ou d'une voiture qui a parcouru trop de kilomètres. Je n'arrive pas à faire quoi que ce soit.*

La nuit, je me réveille en sursaut. J'entends des pleurs. Ils proviennent de sa chambre. Mon cœur tambourine jusque dans ma gorge, je m'agite, je me découvre. Pietro me demande de rester calme. Je ne lui dis pas ce qui m'arrive, que même si je ne l'ai pas vu dans son couffin, je le vois toutes les nuits, et chaque fois que je passe devant sa porte. Je le vois là, dans le berceau bleu encore emballé, qui m'appelle : « Maman, pourquoi m'as-tu laissé seul ? » Et il pleure, il continue à pleurer, et il n'y a pas moyen de le consoler. Je reste pétrifiée face à cet appel déchirant. Et quand je reviens à moi, le pire commence. Parce que je n'ai même plus le son de sa voix, il ne me reste plus rien.

Nous ne devrions pas être là. Nous devrions être en train de nous réveiller toutes les trois heures pour nous occuper de lui. Nous devrions avoir les yeux cernés de fatigue et être libres d'envoyer tout promener tellement nous serions fous de joie. Nous ne devrions pas errer dans cette région déserte et désolée, victimes d'un silence assourdissant dont personne ne semble disposé à nous protéger. Comme si le seul fait de parler de lui était un faux pas, était ridicule, hors de propos. Le monde semble considérer qu'il est juste d'ignorer son existence, de refouler ce qui est arrivé. Je voudrais en être capable moi aussi, mais je n'y parviens pas. *Et crois-moi, Pietro, j'essaie de toutes mes forces. Mais l'avoir laissé partir sans même avoir eu le courage de le regarder en face a peut-être été ma plus grande erreur.*

Pietro a téléphoné au magasin de puériculture où nous avons acheté le berceau et la table à langer, et leur a demandé s'ils acceptaient de reprendre la marchandise encore emballée et de nous faire un avoir pour un autre achat. Je m'y oppose. Il a l'air agacé, me dit de ne pas être obstinée, d'essayer de raisonner. Il n'acceptera pas que la chambre de Lorenzo se transforme en mausolée. Il veut mettre tous les vêtements que nous avons achetés, et tous ceux qu'on nous a offerts, dans un sac à donner à la paroisse. Mais me défaire de ses affaires est comme me défaire définitivement de lui, et Pietro ne le comprend pas. Je sais que c'est un passage obligé quand quelqu'un meurt, que cela fait partie du rituel, une sorte d'obligation morale. Je me souviens de ma mère en train de trier les vêtements de mon père en une pile à donner à des associations et une autre à offrir à son beau-frère. J'étais petite et je regardais les pulls de mon père en essayant de me remémorer la dernière fois que je l'avais vu les porter, de son corps qui modelait leur forme. Des détails capables de lui redonner vie. Maintenant je regarde les petits bodys de mon fils, bien rangés dans les tiroirs qui sentent la peinture fraîche, avec les étiquettes encore attachées, mais je n'ai pas de souvenirs capables de restituer des instantanés de vie vécue, de gribouillages, de taches de purée sur le tissu. Je ne peux que projeter sur les murs de cette chambre les rêveries et les illusions qui m'ont tenu compagnie pendant sept mois. C'est tout ce que je possède, et je ne suis pas prête à y renoncer.

Pietro en a assez, mon inertie l'exaspère. Il ne me reconnaît pas dans cet état de loque, incapable de reprendre en main notre existence. Nous finissons par nous mettre d'accord sur le fait que quelqu'un du magasin viendra reprendre les objets encore emballés. Tout le reste demeure enfermé dans l'armoire. On ne touche pas la chambre. On la laisse comme elle est : avec sa frise de papier peint pleine d'oursons et les bandes de peinture bleue sur les trois quarts des murs. La porte aussi reste fermée, un temps indéfini. Pietro s'est résolu à accepter mes conditions. Peut-être pense-t-il à la possibilité d'avoir un autre enfant. Quant à moi, je ne pense à rien.

Dans chaque enfant handicapé que je rencontre, je vois Lorenzo.

J'assiste à la patience et à la souffrance des parents qui le tiennent par la main, et je baisse le regard, traversée par un sentiment d'inconvenance, et celui d'avoir en quelque sorte éludé mon propre destin. J'aurais dû me trouver dans leur peau, et pas là, nue dans cet espace aveugle.

Certaines personnes disent : « Cela aurait pu être encore pire » et je sais à quoi elles font référence. C'est à la vision de Pietro et moi tenant Lorenzo par la main, coupés du monde, menant une guerre quotidienne contre la société. Pourtant, je ne parviens toujours pas à concevoir tout cela comme le pire qui pouvait nous arriver. Une partie de moi continue de se torturer avec des « si » et des « mais ».

J'ai découvert une nouvelle série de documentaires intitulée *My shocking story*. Des histoires choquantes de personnes vivant des situations extrêmes à cause d'une maladie rare ou d'un handicap lourd. Tandis qu'auparavant je n'y prêtais pas attention, désormais j'ai l'impression de débusquer partout autour de moi des gens en souffrance. En tout cas, leur participation à ce genre de spectacles télévisés me laisse imaginer leur besoin désespéré d'être pris en considération. Elle me révèle leur existence en marge, mais en vitrine, vécue sous le poids des regards étrangers. Chaque histoire m'angoisse et en même temps me console. Comment pourrais-je souhaiter pour mon fils une vie sous les projecteurs d'un documentaire ?

Une jeune fille atteinte d'une forme rare de nanisme a autorisé la caméra d'un show télévisé à filmer sa vie de jeune maman. L'anomalie chromosomique l'empêche d'accomplir de nombreux actes : elle vit sur une chaise roulante et a divers problèmes de santé. Et pourtant cela ne l'a pas empêchée de rencontrer un homme d'un mètre quatre-vingt-dix disposé à l'aimer et à faire un enfant avec elle. Il y avait une chance sur deux que cet enfant puisse avoir la même maladie qu'elle et elle a choisi de défier le hasard. Elle veut avoir d'autres enfants. Elle dit qu'elle veut seulement être une mère comme tant d'autres. Mais son mari la porte dans ses bras comme s'il portait une enfant. Et maintenant un nourrisson se trouve entre eux deux. Une deuxième enfant incroyablement petite, et pourtant trop grande pour que sa mère puisse la porter sans risquer de la faire tomber. Un grand point d'interrogation est posé au-dessus de leurs têtes : quel sera l'avenir de ce bébé ? Aura-t-elle la même envie de vivre qu'a eue sa mère ? « La mère la plus petite au monde », ainsi qu'elle a été rebaptisée, sourit à la caméra en glissant sur le sol en essayant d'envoyer une boule de bowling. À la énième tentative manquée, elle ne se rend pas, et après un dernier effort surhumain, elle réussit à abattre quelques quilles. Je suis impressionnée par son énergie, quand elle revendique d'être comme tout le monde, et quand elle explique qu'elle préfère ne pas connaître d'autres personnes atteintes de nanisme parce qu'elles lui font un drôle d'effet, elles la mettent mal à l'aise. Peut-être que je le pense, mais je serais incapable de l'exprimer à haute voix. Dire que le choix de cette petite femme est le fruit de l'égoïsme est peut-être un acte discriminatoire de ma part, parce que, au nom d'un handicap, je reconnais à une personne des circonstances atténuantes, au détriment d'une autre vie innocente. Mais je pourrais aussi bien me tromper. C'est justement là la frontière subtile entre la morale et la nature des actions que nous accomplissons par instinct, répondant à un appel ancestral.

Pietro ne supporte pas que je regarde ce genre de documentaire. Il m'accuse d'être masochiste, de ne plus croire en la vie.

– Ce n'est pas la vie, Luce. Ce n'est qu'une exception.

– Alors nous aussi sommes une exception, lui réponds-je, une exception choquante.

Où en sommes-nous ? Nous sommes prisonniers de cette grande maison vide, et c'est comme si un ouragan venait d'arracher son toit. Les amis, les proches, les passants jettent un œil dans nos décombres, et la compassion dans leurs regards nous désarçonne tous les deux. Elle nous défigure. Nous ne sommes plus nous-mêmes, nous sommes un couple en crise.

Ou peut-être ne s'agit-il que de moi, qui ne suis pas capable. Pietro, à sa façon, a déjà réagi, il s'est frayé un chemin dans les décombres. Chaque matin, il réussit à boire son café et à nouer sa cravate. Il a repris le travail après l'Épiphanie, et a même recommencé à prendre des photos. Il a pris sa vie en charge sur ses épaules, comme il l'aurait fait du corps d'un soldat mort à côté de lui, porté par un sens du devoir et du respect. Il part le matin avec son porte-documents et il m'apparaît comme l'un de ces héros d'une longue aventure cinématographique, éprouvé mais serein, certain d'avoir accompli son devoir, après avoir mené à bien deux heures de catastrophes et de poursuites. Dans ces moments-là, je l'envie, parce que, je ne sais comment, il semble être resté intact.

Moi je m'accroche aux choses : je passe l'éponge sur les meubles, sur la table à manger, j'étends les draps sur le lit. Je passe la serpillière dans la cuisine, je l'essore violemment et la jette avec rage sur le sol. Je pourrais m'en ficher et appeler la femme de ménage, mais j'ai besoin de m'occuper. Pour faire taire mes pensées, les mettre en mode silencieux.

Si j'étais salariée, je n'aurais même pas droit à un congé maternité. Au plus m'aurait-on accordé quelques jours d'arrêt maladie, parce que mon corps est un corps fatigué qui vient d'accoucher, un corps dont les os sont en train de se remettre en place. Les glandes hormonales continuent d'émettre de fortes doses par intermittence et c'est comme vivre sur des montagnes russes. La rédaction du magazine m'a déjà téléphoné plusieurs fois. Il faudrait que j'entretienne ma collaboration pour ne pas risquer de perdre ma place, de réduire à néant tout ce que j'ai péniblement construit. Mais écrire, plus que tout au monde, me semble impossible. Je regarde le monde de l'autre côté de ma fenêtre et je ne vois qu'une fourmilière en pleine agitation, ignorant qu'à tout moment pourrait surgir un jardinier avec un tuyau d'arrosage qui balaierait tout ce beau monde.

Écrire, répondre à l'une des lettres que je reçois, me semble dépourvu de sens. Ma voix qui s'ajoute aux mille autres voix pour former un chaos insupportable. D'un coup, je me transporte dans le passé, je parcours mentalement toutes les histoires que j'ai reçues, et j'ai l'impression de n'avoir jamais été capable de trouver une seule réponse sensée. Je n'ai fait qu'écrire sur le néant.

Je suis un tableau abstrait. M'interpréter demande un grand effort d'imagination. Pietro s'y essaie. Et ma mère aussi semblerait vouloir que je lui en donne la possibilité.

Il arrive que dès le réveil je me précipite dans une librairie du quartier dans l'espoir de trouver au moins un livre qui parle de moi. De quelqu'un qui aurait traversé le même enfer que moi. Mais je ne trouve rien. Il semblerait que l'avortement thérapeutique fasse partie des sujets demeurés tabous.

Chez moi, j'allume mon ordinateur et accède à un moteur de recherche. Je compose les mots « avortement » et « thérapeutique », et un monde s'ouvre à moi. Un monde complètement étranger, fait de blogs, de forums, de sites d'approfondissement, de demandes d'aide et de messages d'espoir.

L'interview d'un médecin objecteur de conscience me saute aux yeux : il déclare que le terme « thérapeutique » accolé à celui d'« avortement » est impropre pour désigner le fait de mettre un terme à la gestation d'un fœtus atteint d'une anomalie chromosomique. Il vaudrait mieux que les choses soient appelées par leur nom : « Il s'agit d'un infanticide », clarifie-t-il. Et il explique qu'il faudrait enseigner aux parents comment accepter le handicap, comment l'estimer dans sa globalité, avant de recourir à des choix aussi définitifs. Je me demande ce que peut bien être la situation familiale de cet homme. S'il a jamais été véritablement confronté au handicap ou à une forme de dysplasie du squelette, ou s'il connaît seulement la douleur que l'on éprouve rien qu'en se cassant un os. Rien par rapport à la douleur provoquée par un thorax qui petit à petit se resserre sur le cœur et les poumons jusqu'à les étouffer.

Encore une fois, c'est Internet qui vient à ma rencontre. Qui rompt le silence aux allures d'omerta de ma vie et me démontre que j'existe. Non comme un hors-la-loi, qui a commis l'acte sacrilège et impardonnable de l'infanticide, mais en tant que mère amputée, en tant que femme qui souffre et paie les conséquences d'une décision. Je me jette dans un forum, un lieu virtuel qui recueille les témoignages de femmes qui ont avorté et partagent leurs expériences.

La partie qui me concerne – d'un forum féminin plus général – est consacrée à l'interruption de grossesse et aux femmes qui ont dû recourir à un curetage, volontaire ou subi, suite à une fausse couche ; certaines femmes comme moi ont dû affronter le dilemme de mettre au monde ou non un enfant atteint d'anomalie chromosomique. Je lis quelques-uns des témoignages, dans toutes je peux retrouver ce sentiment de perte et d'échec, d'une douleur qui ne trouve pas la façon de s'exprimer.

La plupart des auteures de messages emploient un pseudonyme et une image qui ne les représente pas. Mais on trouve aussi des personnes qui mettent leur véritable visage, en publiant une photo de vie réelle. De nombreux pseudonymes s'inspirent de l'expérience qu'elles affrontent, comme *Désespérée*, *Seule* ou *Maman triste* ; d'autres sont empruntés à des dessins animés ou aux contes de l'enfance. Une *Sailormoon* écrit des poèmes sur la maternité et une *Petite Sirène* célèbre les anniversaires de l'enfant qu'elle a perdu. Derrière ces petites photographies téléchargées sur le Web, derrière tous ces noms imaginaires, des femmes sortent de l'ombre, du bunker dans lequel elles sont enfermées, à la recherche du réconfort que la société leur refuse. Un exutoire qu'elles ne pourraient trouver nulle part ailleurs.

Certaines histoires sont différentes de la mienne mais s'en rapprochent. *Mary78* a découvert qu'elle attendait un enfant atteint de microcéphalie et n'a pas eu le courage d'interrompre la grossesse. Elle était seule, n'avait pas de compagnon, et en suivant les conseils de sa famille elle est allée en France pour l'accouchement. Elle savait que s'y trouvait un établissement spécialisé pour les besoins de son enfant. Son projet était de l'y laisser de façon anonyme, comme pour abandonner un enfant dans un orphelinat, avec l'unique différence que pour son petit ne se serait jamais présentée la possibilité d'une adoption. L'institut était qualifié pour l'accueillir du mieux possible, et lui paraissait le meilleur choix et le moins douloureux. Elle croyait pouvoir y arriver, *Mary78*, être assez forte. En réalité, elle a passé des mois écrasée par le poids de la culpabilité, pour finalement, contre l'avis de sa famille et malgré ses petits moyens financiers, décider de revenir en France pour le reprendre. Mais elle n'avait pas prévu que le délai de réflexion pouvait avoir expiré et elle lutte aujourd'hui contre la bureaucratie française pour récupérer son enfant.

Je ne sais pas si cette histoire est vraie, si *Mary78* existe réellement ou si derrière ce nom se cache seulement quelqu'un qui veut lancer un débat. Sur le Web, il faut toujours garder cette possibilité à l'esprit. En tout cas, le post de *Mary78* a reçu beaucoup de réponses. *Julieseule* se demande comment il est possible de laisser une telle créature abandonnée dans un institut. *Mélancolie* polémique sur le fait que la société cite parfois en exemple celles qui ont décidé d'éviter l'avortement et confient leur nouveau-né aux soins d'un hôpital, tandis que les femmes qui attendent un enfant malade, qui n'ont bien souvent pas d'autres solutions, seraient considérées comme des monstres si elles le faisaient. L'unique attitude tolérée semble être celle de la maternité contrainte. *Élisétoile* réfléchit sur la difficulté d'être la maman d'un enfant handicapé, sa sœur en sait quelque chose, « et on l'appelle Mère Courage, dit-elle, bien qu'elle n'ait pas eu le choix ».

Les femmes dans ce forum donnent volontiers leur opinion et dispensent des conseils. Elles mettent à disposition ce savoir emmagasiné par des mois, voire des années de solitude. Certains posts donnent des informations ou des numéros utiles. L'un d'eux renvoie à un site où l'on propose un soutien pour les femmes qui veulent recourir à un avortement thérapeutique mais qui ont dépassé les délais fixés par la loi. La liste est donnée des pays où l'on pratique l'injection intra-utérine, des adresses des hôpitaux dans lesquels l'avortement thérapeutique ne se traduit pas par un accouchement anticipé avant la vingt-troisième semaine mais où la limite est déterminée en fonction de la gravité de la maladie et de l'état de la mère. Je me sens dans l'obligation et le devoir d'inscrire sur ce forum l'adresse et le numéro de téléphone du docteur Wilson à Londres, et de préciser qu'avec moi toute l'équipe s'est montrée très compréhensive et disponible. Pour le moment, c'est tout ce que je suis en mesure de faire. J'écris de manière télégraphique, d'un jet et de façon anonyme.

Moi qui croyais que mon expérience était choquante, comment pourrais-je juger celles de toutes ces femmes ? Des femmes qui se sont endettées pour faire face à toutes les dépenses ; des femmes qui ont pratiqué l'interruption en Italie sans recourir à l'injection, dans des hôpitaux déontologiquement hostiles et où s'exerçaient plein de préjugés à leur égard. Des femmes qui ont vu des policiers faire irruption dans la salle d'accouchement, ou qui se sont retrouvées, à cause de l'indifférence des sages-femmes et des médecins objecteurs de conscience, à partager une chambre avec des patientes qui serraient dans leurs bras leur enfant à peine né, ou à courir dans la salle de bains entres les spasmes et les contractions pour se retrouver à expulser leur enfant dans des toilettes, et ne pas avoir le courage de faire un geste pour l'en sortir. Et le regarder mourir, dans un tube putride, comme un déchet.

Cela semble impossible à croire, mais l'histoire de l'enfant accouché dans les toilettes est attestée par une revue de presse : les interviews des médecins responsables, des parents et de la famille. Et ce n'est pas un cas isolé. Pourtant, ces histoires ne font pas grand bruit. Personne ne s'indigne que ces femmes n'aient pas reçu d'assistance. Elles sont les premières, lorsqu'elles rentrent chez elles, à s'enterrer vivantes et à mourir de honte. Nous ne les verrons jamais s'exprimer à la télévision, crier leur colère. Elles suivent le conseil de leurs proches : oublie, va de l'avant, ton enfant n'est jamais venu au monde.

Tandis que je suis absorbée par la lecture, j'entends sonner.

L'écran du vidéo-interphone transmet l'image des cheveux de ma mère pris dans les griffes d'une pince colorée, et son visage qui s'impatiente alors qu'elle sonne plusieurs fois et attend que je lui réponde. Mais je m'éloigne de l'interphone et reviens à mon ordinateur. De nouveau quelques sonneries stridentes, puis elle renonce.

Quelques minutes plus tard, quelqu'un tourne la clé dans la serrure de la porte d'entrée. J'imagine ma mère corrompre le concierge dans une scène théâtrale, puis monter furieuse jusqu'au troisième étage, mais en réalité c'est la tête de Pietro que je vois passer par l'entrebâillement de la porte. Je ne m'étais pas rendu compte qu'il était si tard.

– Tu as rencontré ma mère en bas ?

– Non, mais elle m'a appelé sur mon portable plusieurs fois. Elle est inquiète, elle veut savoir ce que tu deviens. Tu devrais l'appeler.

– Je lui enverrai un message plus tard.

– Qu'est-ce que tu lis ?

– J'ai trouvé un forum. Sur l'interruption de grossesse.

– Je ne sais pas si cela peut vraiment te faire du bien.

Il m'observe : mes cheveux sont désordonnés et sales, je porte le même survêtement depuis des jours. Je n'ai rien préparé pour le dîner. Je passe d'un documentaire sur le handicap à un forum sur l'avortement. C'est sûr que je ne l'aide pas beaucoup. Mais ce soir, il n'a pas envie de se disputer.

– Si tu as envie d'en parler, je suis là, m'encourage-t-il mollement. Il ne faut pas te sentir seule, nous sommes deux. Toi et moi.

– Merci.

– On m'a téléphoné aujourd'hui, annonce-t-il en enlevant sa veste. Dans un mois, on nous donnera les résultats de l'autopsie et nous pourrons aller chercher Lorenzo. Faire les funérailles là-bas et ensuite le ramener avec nous. Qu'en penses-tu ?

Je sens que je me rigidifie à cette seule pensée. Je me retourne sur la chaise tournante. Je fixe l'écran.

– Luce, s'il te plaît.

Je ne peux pas. Je ne veux pas retourner à Londres. En ce qui me concerne, Lorenzo n'est pas dans cet hôpital en train d'être étudié par un groupe de chercheurs. Bien sûr, il n'est plus à l'intérieur de moi, et peut-être n'est-il même pas dans cette maison, enfermé dans la chambre que nous avons décorée pour lui. Je ne le trouverai pas non plus dans un forum, parmi les posts des femmes qui comme moi n'ont nulle part d'autre où aller. Mais ce qui est certain, c'est qu'il n'est pas à Londres. Je ne peux pas l'avoir laissé là-bas et être rentrée saine et sauve.

Forum Espacerose.com, 12 janvier, 18h03

Mamanroche :
J'étais enceinte de jumelles. Le 28 septembre, j'ai fait l'examen de la clarté nucale et le résultat a été mauvais pour l'une des deux. Mon mari et moi avons décidé de pratiquer une amniocentèse, et le 20 octobre, pendant un instant, mon cœur a cessé de battre : trisomie 21.
Nous ne nous sentions pas capables de poursuivre la grossesse et nous avons décidé de n'en garder qu'une. C'est facile de juger de l'extérieur. Une maman voudrait ne jamais avoir à prendre une telle décision qui revient à apprendre à vivre ensuite la mort dans l'âme. Mais j'ai voulu faire un choix raisonnable : comment aurais-je pu donner le même amour à mes deux petites ? L'une d'entre elles en aurait eu plus besoin et inévitablement j'aurais négligé l'autre. Qui aurait pris soin d'elle le jour où je n'aurais plus été là ? Savez-vous que, depuis que les tests génétiques existent, presque tous les couples qui apprennent qu'ils attendent un enfant présentant des problèmes de santé décident d'interrompre la grossesse ? Si on l'ignore, c'est une chose, mais une fois que l'on en a été informé, il en faut du courage pour décider du sort de son enfant.
J'ai besoin de vous, de vos histoires, pour ne pas avoir l'impression d'être un monstre.

Lisa82 :
Salut Mamanroche, tu trouveras ici de nombreuses mamans prêtes à t'écouter et qui peuvent comprendre ce que tu ressens. Quant à moi, j'ai eu une IVG à la neuvième semaine parce qu'à vingt ans, seule et sans travail, avoir un enfant me semblait impossible. Et je ne le voudrais pas même aujourd'hui alors que j'ai plus de trente ans. J'ai découvert, tout simplement, que je n'avais pas d'instinct maternel. Cela pourra sembler étrange aux mères qui sont en souffrance, mais cela existe aussi. Et donc, si cela arrivait de nouveau, je ferais probablement la même chose. Mais ce n'est certes pas une partie de plaisir et je fais tout pour l'éviter. Je ne demande pas forcément la compréhension de la part des autres, mais simplement du respect, et pourtant je n'en trouve presque jamais, chez personne. Dans une société civilisée, personne ne se permettrait de te juger. Ici, nous ne sommes pas toutes d'accord, mais nous connaissons le poids des mots et nous essayons de nous en servir pour donner et recevoir du réconfort.

Anonyme :
Trois pour cent des femmes enceintes risquent de donner naissance à un enfant handicapé. C'est un fait. Sauf que certaines le découvrent pendant la croissance de l'enfant, tandis que d'autres l'apprennent en faisant des examens prénatals quand elles le portent encore en elles. Si le résultat de ces examens révèle une anomalie chromosomique, quatre-vingt-dix-huit pour cent décident de recourir à l'avortement thérapeutique. Quatre-vingt-dix-huit pour cent. Ça aussi, c'est une donnée factuelle. Mais seulement si elles se trouvent dans le délai légal, alors oui, elles peuvent le faire, personne ne l'interdit. On le renvoie au Créateur comme on le ferait avant la douzième semaine pour un embryon viable mais non désiré. On les regardera peut-être de travers dans certains hôpitaux, ou elles ne recevront pas un accompagnement adapté, mais elles

pourront le faire, personne ne les en empêchera. Je connais une femme qui a décidé d'avorter parce que son enfant avait un bec-de-lièvre. Ce sont des choses qui arrivent. Et j'en connais une autre qui a découvert qu'elle attendait une fille avec une malformation cérébrale, mais comme la grossesse était trop avancée, on la lui a fait garder. Comme si la dignité d'une vie pouvait se mesurer à l'aune des semaines parcourues. Cette femme a attendu trois mois supplémentaires et a mis au monde cette enfant. Elle fait partie de ces trois pour cent. Et moi aussi. En revanche, je ne sais pas comment je trouverai le courage d'accoucher.

Pietro voudrait me dire quelque chose. J'ai les yeux gonflés, je suis en train d'appliquer sur mes paupières un coton imbibé de camomille. Je le regarde à la dérobée, le temps de me rendre compte que sur lui le temps qui passe a un effet presque bénéfique. Ses cheveux sont légèrement ondulés, sa peau est plus vivante, comme si la seule œuvre du temps, en vieillissant, était de le rendre plus attirant. Je n'arrive pas à regarder son image dans le miroir de la salle de bains puis juste après la mienne sans être submergée par un sentiment de malaise.

– J'aimais beaucoup tes sourires, me dit-il.

Puis il aperçoit le calendrier accroché au mur à côté du lavabo : sous le paisible lac en hiver que dissimulent les genévriers, se trouve un décembre recouvert de signes et de petites croix jusqu'au vingtième jour.

– Janvier est presque terminé, me fait-il remarquer. Tu devrais en changer.

J'applique une crème éclaircissante sur la tache brune au-dessus de ma bouche.

– Je voudrais que nous partions en voyage, poursuit-il. Je pourrais très bien laisser l'agence pour une dizaine de jours. J'ai pensé à la Thaïlande, qu'en penses-tu ? Un de mes anciens camarades d'université a ouvert un centre de spiritualité à Koh Samui.

Je suis une minorité de la minorité. J'ai eu la possibilité d'être assistée par des médecins étrangers. J'ai eu l'argent nécessaire pour concrétiser ma décision. Et je me demande, maintenant, combien d'hommes ont proposé à leurs femmes de partir en Thaïlande dans de telles circonstances. Encore une fois, je devrais me sentir privilégiée. Mais non. Le privilège ne fait qu'aggraver ma position. Je ne le mérite pas, j'en suis indigne. Se recroqueviller dans la peine est plus facile que de réagir.

– Je t'emmène loin d'ici, décide Pietro, tandis que je me lave les mains en frottant nerveusement le savon.

Koh Samui est finalement en vue, après toute l'agitation de l'aéroport de Bangkok, les valises, le chaos, les files d'attente, l'air conditionné. À peine sommes-nous sortis de l'avion qu'un air chaud et saturé d'humidité, que certains ne supportent pas, nous saisit. Une touriste devant nous halète en agitant une revue en guise d'éventail.

Le soleil est haut dans le ciel, et je pense à l'été, à combien il est encore loin dans notre partie du globe. Pietro a la joue marquée par la forme du coussin. Le retrait des bagages se fait à l'abri des palmiers, sous une petite structure en bambou sans vitres ni barreaux. Au mur, l'affiche d'une plage déserte est là pour nous souhaiter la bienvenue sur l'île. Le tapis roulant n'est pas encore en mouvement.

Notre premier voyage à l'étranger me revient à l'esprit. C'était sur une île en Indonésie. C'était la première fois que j'allais dans un endroit aussi éloigné de chez moi, mais je feignais la désinvolture face au luxe de l'hôtel, au soin extrême apporté aux moindres détails, à la finesse de la cuisine. Nous riions comme deux enfants partis en voyage de classe et nous faisions l'amour partout, jusque dans la piscine de l'hôtel. Sous cet aspect-là, Pietro était tellement pur, tellement prévisible, si conforme à l'éducation bourgeoise qu'il avait reçue. Je n'ai jamais eu de freins ou d'inhibitions par rapport à la sexualité, j'ai toujours laissé mon corps partir en exploration, certaine qu'il ne se perdrait pas. Pietro me contemplait avec extase, me laissait guider ses mains sur mon corps, et lui murmurer mes fantasmes à l'oreille. Son expression de ravissement me procurait une sensation de toute-puissance. Sur ce terrain-là au moins, c'était moi qui menais le jeu.

Nous étions comme deux faucons en train de dévorer la vie. Et aujourd'hui, que sommes-nous ? Deux fantômes qui croulent sous les bagages pour atteindre un minicar bleu, garé sur le parking de l'aéroport d'une île qui sent les fruits tropicaux.

Nous montons à bord en même temps que deux autres couples. Nous nous asseyons au fond, au-dessus du moteur. Quand le car se met en route, je regarde l'île par la fenêtre : le vert de la végétation, intense comme s'il avait plu à l'instant. Des échoppes vendant du riz et des fruits secs tout le long de la route. Les câbles électriques pendant avec nonchalance d'un poteau à l'autre. Une vieille femme lançant des regards désespérés aux passants tout en cherchant à vendre le peu de riz gluant qu'il lui reste au fond d'une grande bassine, et une autre, plus jeune, assise sur les marches d'un magasin, le ventre proéminent bien en vue, tandis qu'elle mord dans un fruit qu'elle n'a sans doute pas lavé. À l'évidence, elle fait confiance à la nature. Et n'ayant pas la possibilité de faire des échographies, elle fait confiance à la vie aussi.

L'hôtel est un monde à part, protégé de la vérité qui se respire en dehors. De la poussière des rues, de la mer qui surgit après un tournant, au creux de falaises à pic, ses baies turquoise, la mer qui écorche l'âme.

Une Thaïlandaise en costume folklorique nous accueille à la réception. Ses cheveux noirs et brillants sont fixés dans une coiffure compliquée. Elle nous affuble d'un collier de fleurs et nous offre un cocktail de fruits avec une paille. Nous la suivons comme des automates pour la visite des lieux.

Voici la piscine, voici la plage. À quelques mètres, le restaurant, où nous prendrons nos repas après avoir dûment remis les coupons à cet effet. À droite, plus haut, le Spa, où nous pourrons rencontrer des personnalités internationales du monde de la science, en visite pour des *workshops* de quelques jours. Dans l'un de ces bungalows de bois se trouve aussi la salle de gym où ont lieu les cours de méditation et de yoga. L'ensemble est relié par un chemin ombragé qui dessine une sorte de fermeture éclair dans la jungle. Enfin arrive la chambre à coucher : un bungalow avec une terrasse face à la mer. Une étendue d'azur qui se perd dans la brume à l'horizon, tellement infinie que l'on en a le vertige. Il y a l'air conditionné et un ventilateur au centre du plafond. L'ameublement est rudimentaire, fonctionnel. Ils ont mis des fleurs partout, jusque sur les oreillers. Des pétales de frangipane fichés au cœur des serviettes enroulées. La salle de bains est à l'air libre : un miroir, un lavabo, des toilettes et une douche, entre des galets, des pelouses et des bambous. Et puis, il y a la paix. Le parfum des embruns se mêle à celui des épices. Le chant d'oiseaux inconnus, aperçus seulement dans quelque documentaire, un chant harmonieux qui se déploie parmi les papayers et les grappes de bougainvilliers.

Nous atteignons la plage blanche où un hamac balance doucement entre deux palmiers. Mes jambes me font mal. Je m'accroche à ces cordes nouées et me laisse bercer.

Pietro et la Thaïlandaise échangent un sourire.

– Elle est fatiguée, explique-t-il. Le voyage était long.

Et puis je n'entends plus leurs voix, je ne vois que des fragments de ciel entre les noix de coco. Je sens mes os qui grincent. J'ai sommeil comme s'il était quatre heures du matin, et peut-être que chez moi c'est déjà la nuit, je ne sais pas, j'ai perdu le fil. Je me laisse bercer et une brise légère me caresse les cheveux.

Je me réveille en sursaut. Je me redresse sur le bord du hamac, et je vomis, comme ça, au beau milieu des clients de l'hôtel qui prennent le soleil. Une petite fille blonde rit et me pointe du doigt. Je vois des jambes nues marcher sur la plage et s'approcher. Je lève les yeux, c'est Pietro qui a enfilé un maillot de bain et a déjà la peau bronzée, luisante de crème solaire. Il m'embrasse sur le front.

– Que puis-je faire pour t'aider ? me demande-t-il, en me tendant un mouchoir en papier.

– J'ai mal dans les os comme si j'avais quatre-vingt-dix ans, lui dis-je en m'essuyant la bouche avec le mouchoir et en avalant un peu de vomi.

– J'ai lu sur le programme que ces jours-ci un ostéopathe allemand sera là, un professionnel de renommée mondiale.

Un bâillement ironique s'échappe de moi.

Il n'y prête pas attention.

– Va te baigner, me conseille-t-il, ça te fera du bien. Le poulet froid dans l'avion n'a pas dû te réussir, moi aussi j'avais la nausée tout à l'heure. Je vais aller faire un footing et quelques photos. Il ne faut pas dormir, sinon on ne s'habituera pas au décalage horaire.

Il n'a jamais été aussi beau. D'une beauté presque bouleversante. Son corps est souple, musclé. Son visage est reposé, lisse comme un galet poli par la mer, tandis que je ne suis qu'un brin d'herbe sur lequel on a marché tant de fois que je n'ai plus l'élasticité suffisante pour me redresser. Lui en revanche ressemble à un enfant en vacances. Je le déteste d'être si beau, si sain. Sauf.

Le Dr Vincler, l'ostéopathe de l'hôtel, n'est là que pour quatre jours.

Quand j'arrive au Spa, on m'offre un thé chaud au gingembre. Je le sirote assise sur un fauteuil en osier en forme de coquillage géant. En frottant les pantoufles de l'hôtel sur le sol de terre cuite, je ressens une vive douleur dans les hanches. J'ai les os mal en place, mes articulations grincent. La terrasse du Spa surplombe la jungle d'arbres et de palmiers, qui rejoint les toits en jonc des bungalows juste avant la plage.

Vincler se présente dans un sari couleur pourpre. Il a une courte barbe grise et des lunettes rouges. Un personnage curieux et dégingandé qui semble sortir tout droit d'un livre new age. Il s'exprime dans un anglais dur, maladroit, mais quand il apprend que je suis italienne, il m'annonce qu'il a fait des études à Bologne, et la dureté de l'accent allemand s'enrichit immédiatement d'une douce diction romagnole.

La pièce que l'hôtel a mis à sa disposition pour ses séances est un petit bungalow au milieu des plantes. Un lieu zen, meublé d'un bureau en bois, de deux chaises en paille et d'un lit au milieu.

À peine sommes-nous assis qu'il me demande de lui parler de moi.

Je lui dis que j'ai mal partout, que je me sens éreintée. Il a en main un bloc-notes et un stylo mais il n'écrit rien.

– Depuis quand ?

– Depuis vingt jours.

– Et que s'est-il passé il y a vingt jours ?

Maintenant qu'il me pose la question, je me rends compte que ce serait absurde de ne pas le lui dire. Comment ai-je pu penser l'éviter ? Par ailleurs, c'est un médecin, et je pense que c'est vraiment l'accouchement qui est la cause de toutes ces douleurs.

– J'ai accouché.

Je le déclare sans émotion. Lui, en revanche, sourit. Ses yeux bleus plongent en moi. Il doit avoir une soixantaine d'années et me fait penser au père Noël. Un père Noël version santon hindou.

– Magnifique ! s'exclame-t-il. Fille ou garçon ?

Je m'apprête à lui dire que cela n'a pas vraiment d'importance, puisqu'il n'existe plus, mais son sourire m'arrête.

– Un garçon.

Ensuite il m'ausculte. Je me déshabille sans pudeur, exhibant les restes de mon corps. C'est tellement évident que ce corps vient d'accoucher. Je m'allonge sur le lit, ruminant ma réponse. Cet homme pense que j'ai accouché et qu'il y a un bébé quelque part. J'aimerais bien y croire. Ici personne ne me connaît, je pourrais même me laisser aller à la fiction.

Vincler pose ses paumes sur mes tempes. Sa peau est chaude, rugueuse, elle a un effet de détente immédiat.

– Votre fils est ici avec vous ? demande-t-il.

Ma fiction ne peut pas aller bien loin.

– Non, nous l'avons laissé en Italie.

Là, je dois passer pour une mère indigne, une femme qui pour se remettre d'un accouchement n'a pas hésité à se débarrasser de son fils de vingt jours à l'autre bout du monde. Mon Dieu comme j'aimerais que ce soit le cas. Mais Vincler ne fait pas de commentaire. Il continue à me transmettre de la chaleur à travers les paumes de ses mains. Il atteint le front, puis le cou. Il descend sur les épaules jusqu'aux hanches. On dirait qu'il me fait une échographie avec les mains.

– Ainsi vous n'allaitez pas ?

Ç'aurait été la première chose que j'aurais faite : lui offrir le téton pour le voir s'accrocher à la vie et téter tout le colostrum.

– Non, j'ai préféré ne pas le faire, réponds-je comme les femmes qui ont peur d'abîmer leurs seins.

Me voilà plongée dans le rôle. Et même si cette deuxième réponse aggrave mon cas de mère indigne, Vincler ne laisse rien paraître. Il est toujours concentré sur mes os. Il presse ses doigts sur mon corps avec une expression absente, comme s'il était là et en même temps ailleurs.

– Vos douleurs sont tout à fait normales, finit-il par déclarer. Vous venez d'accoucher. Vos os sont en train de reprendre position. Ici en Orient, après un accouchement, les femmes ne partent pas en voyage, elles restent au moins trois mois à la maison, elles se protègent aussi du vent. Nous sommes victimes du dynamisme, habitués à tout faire immédiatement, mais il faut du temps. Ce n'est pas un processus facile. Je ne peux pas vous manipuler. Je vous ferai plus de mal que de bien. En revanche je peux vous faire du reiki. C'est une discipline orientale dont je suis un grand connaisseur. Je vous conseille, si vous en avez envie, de faire un peu de yoga et de méditation. Mais j'éviterais les massages.

Je n'ai pas la moindre étincelle d'énergie dans le corps. De sorte que je ferme les yeux et le laisse pratiquer ce reiki. Je suppose qu'il s'agit simplement de chaleur transmise à travers le contact des mains. Mais c'est si agréable que quelques instants suffisent pour que je plonge dans un état de torpeur. Quand je rouvre les yeux, je vois

Vincler qui bouge les lèvres dans une méditation rythmique et lancinante. Cela dure encore un peu, puis il se recompose et me sourit à nouveau.

Il me demande comment je me sens et je reconnais immédiatement que je me sens mieux. La douleur semble avoir diminué. Vincler m'aide à me rhabiller, me passe ma chemisette et je la boutonne de travers. Mais l'idée de défaire et de recommencer me fatigue, de sorte que je la laisse ainsi.

– Vous avez besoin de repos, me dit-il d'un ton paternel. Vous êtes très fatiguée et vous avez bien fait de prendre une pause vis-à-vis de l'enfant. Vous devez penser à votre santé psychophysique. C'est très important pour une femme qui devient mère.

Je lui souris à mon tour, et c'est peut-être la première fois que je le fais depuis le début de la séance. Sa compréhension me surprend, on dirait qu'elle va au-delà de tout préjugé.

Ensuite, il m'aide à me relever du lit et à atteindre la porte.

– Si vous souhaitez une autre séance de reiki, je suis là, dit-il avant de prendre congé.

– Demain ? je lui demande sur le seuil.

– À la même heure, parfait.

Je m'apprête à me laisser engloutir par la jungle quand sa voix m'atteint à nouveau.

– Je ne vous ai pas posé une question importante. Quel prénom avez-vous donné à votre enfant ?

J'avale ma salive pour ne pas trahir mon rôle. Je finis par trouver le courage de l'extirper de moi, ce prénom, qui pour aujourd'hui, seulement aujourd'hui, est le nom d'un enfant de vingt jours qui m'attend à la maison, pardelà la jungle, à l'autre bout du monde.

– Lorenzo.

Dans la salle de bains de notre chambre, le soir, je fais pipi et me passe un rectangle de papier hygiénique entre les jambes. Les pertes de sang ne sont plus que quelques filaments rosés, comme c'était prévisible, et comme il était aussi écrit sur le forum. Je m'y rends souvent, même ici, à la recherche de témoignages.

Pietro est en train de se laver les dents et demande :

– Tes règles sont terminées ?

Il a dû se rendre compte que je n'utilise plus de tampons.

J'acquiesce, puis je sors et me glisse sous les couvertures.

L'abat-jour de la commode diffuse une lumière orangée qui se projette sur l'armoire en acajou et sur le sol. Les pales du ventilateur tournent presque imperceptiblement. Les draps sont frais et secs, malgré l'humidité extérieure.

Pietro s'allonge à mon côté.

– Tu te souviens de la fois dans la baignoire ? me demande-t-il plein d'allusions, en se tournant sur le côté. C'était notre premier voyage ensemble.

Oui, je m'en souviens. Nos corps n'avaient pas cessé de se chercher pendant toute la nuit, comme s'ils n'en avaient jamais eu assez. Nos peaux étaient comme érodées par l'eau, nos mains et nos doigts étaient flétris, et pourtant nous restions enlacés, jamais complètement rassasiés.

Je sais pourquoi il l'évoque maintenant. Il s'est d'abord assuré de ma condition physique et là, il prépare le terrain pour amorcer son approche. Il veut m'aimer à nouveau, et Pietro est un enfant habitué à avoir tout et tout de suite. Mais la seule pensée d'ouvrir les jambes et de l'accueillir en moi me plonge dans une panique inavouable. C'est de là qu'est sorti Lorenzo, je ne peux pas m'empêcher d'y penser. Je m'enroule dans le drap comme une larve dans un cocon. Ma mue n'a même pas encore commencé.

– C'est trop tôt, dis-je en croisant les jambes.

Et je tourne le dos.

Il est neuf heures du matin et je suis déjà fatiguée.

La femme de chambre s'approche avec un sourire formel. J'ai l'impression qu'elles se ressemblent toutes, je l'avais prise pour la femme de la réception. Je redoutais une agression, la proposition d'un tour en bateau ou une invitation à quelque leçon de Pilates. Mais celle-ci porte un tablier et tient en main un carnet pour les commandes. Je demande des œufs brouillés, un thé chaud et un jus de fruits, mais je le regrette dès qu'elle s'éloigne. C'est trop tard pour la faire revenir. J'aurais honte d'élever la voix et de réclamer son attention. Je me sens déjà suffisamment observée, dans cet endroit où il semble n'y avoir que des familles avec enfants. Et moi, assise là, je suis une note discordante, une touffe de chiendent dans une belle pelouse anglaise.

Pietro apparaît au détour de l'allée, en short et manches courtes, son iPod fiché dans les oreilles. Épuisé par son footing matinal. Il est en train de rire avec une blonde, une cliente de notre hôtel, qu'il a dû croiser en chemin.

Il m'arrive de penser qu'il faudrait qu'il rencontre une autre femme. Une femme sans cicatrices, en mesure de le couvrir d'enfants en bonne santé, qui ne craindrait pas les examens génétiques ni le patrimoine chromosomique. Je l'imagine enlacé avec cette touriste blonde comme il l'était avec moi dans cette baignoire. Langue contre langue, peau dans la peau, salives et transpirations mêlées. J'ai mal rien que d'y penser, mais je le souhaite aussi. Je voudrais que le bonheur revienne dans sa vie, parce que quelqu'un comme lui est fait pour le bonheur. Il n'est pas comme moi. Lui, quand il parie, il gagne, moi je redoute le seul fait d'essayer. Je suis un nuage gris qui a traversé son ciel limpide. Je n'ai apporté que de la pluie. S'il ne m'aimait pas, tout serait plus simple.

Il s'assoit, content, me raconte qu'il a couru en dehors de l'hôtel, le long d'une plage aux allures de carte postale. Il a fait plein de photos, me les montre sur l'écran de son appareil professionnel. Puis il m'annonce qu'il a l'intention d'aller faire de la plongée. Il a mille projets pour cette journée, mais il achoppe immédiatement sur mon refus.

– Après la frayeur de Santa Marinella, je n'arrive même plus à enfiler les bouteilles.

– Tu as tort, insiste-t-il. Quand on tombe de cheval, il faut remonter le plus tôt possible.

J'ai l'impression qu'il fait aussi allusion à tout le reste. À nous deux, à la sexualité, à la possibilité d'avoir un autre enfant. Mais il sirote son café avec enchantement, le regard perdu dans les feuillages exotiques au-delà de la terrasse. Aucun double sens, ce n'est que ma tête, qui n'est jamais en repos.

– Et si on allait prendre un peu le soleil ?

– Non, je suis encore bourrée d'hormones et je risquerais de me couvrir de taches.

– Que veux-tu faire alors ?

– Je ne sais pas, dis-je en me concentrant sur l'œuf brouillé que je n'ai aucune envie de manger et que je me contente de torturer de la pointe de ma fourchette.

– Tu es lourde, lâche-t-il comme s'il avait retenu ces mots depuis trop longtemps. Je n'en peux plus de te voir toujours avec cette tête.

– Personne ne t'oblige à me regarder. Tu n'as qu'à aller te promener.

– Tu devrais le faire aussi. Parce que tu n'es pas morte, Luce. Nous ne sommes pas morts. Nous sommes vivants et nous sommes là. Et nous devons réagir.

– Parle pour toi. Ne pense pas à moi et ne m'inclus pas dans tes projets.

– Tu es ma compagne, c'est normal que je t'inclue dans ma vie, soupire-t-il. Tu n'es pas la seule à souffrir. J'essaie seulement de t'aider.

– Pourquoi tu ne demandes pas à cette blonde d'aller plonger avec toi ? dis-je avec le besoin de le provoquer.

J'aimerais avoir une bonne raison de lui crier dessus que c'est moi qui aie raison, qu'il devrait se trouver quelqu'un d'autre et me laisser en paix.

– Tu es devenue folle ?

– Elle est mignonne, non ?

Il ne me répond même pas. Il continue à siroter son café, bien que je sois parvenue une nouvelle fois à anéantir sa bonne humeur.

– Pourquoi tu ne la rejoins pas ? dis-je en élevant un peu la voix, et il regarde autour de lui, gêné.

– Ça suffit maintenant.

– Pas la peine de t'inquiéter, de toute façon personne ici ne parle notre foutue langue. Tout le monde se fout de notre langue !

Un élan de colère est monté en moi. Une décharge hormonale, j'imagine. Je n'arrive plus à contrôler mes réactions. Un instinct de destruction m'assaille de plus en plus souvent à l'improviste. Je quitte la table et me dirige vers l'allée, à pas rapides. Pietro me suit en silence.

– Je te comprendrais si tu trouvais quelqu'un d'autre, tu sais ? J'en serais presque heureuse.

Il m'attrape par le bras et me retourne vers lui.

– Pourquoi te fais-tu du mal ?

– Parce que je ne le sens plus.

Maintenant, j'ai seulement envie de pleurer. Pietro me prend dans ses bras, et dit qu'il voudrait rester comme ça toute la journée. Je m'abandonne à lui. Moi aussi je voudrais rester dans cette position pour toujours, immobile, dans ses bras. L'humidité, à cette heure du jour, est plus supportable. Les papayers et les manguiers nous font de l'ombre, la nature nous berce.

Après un moment, il me demande :

– Tu as une séance de reiki aujourd'hui, n'est-ce pas ?

– Oui.

– Ce matin, j'ai rencontré ce Dr Vincler. Je lui ai raconté l'enfer que tu as traversé. Il était désolé.

– Pourquoi a-t-il fallu que tu lui racontes ? Dis-je en m'éloignant brusquement de lui.

– Comment ça, pourquoi ? C'est un médecin, ajoute-t-il, confus.

– Et alors ? Je ne comprends pas pourquoi tu dois le raconter à tout le monde.

– Luce, je ne l'ai dit à personne...

– Si, tu lui as dit, à lui ! Es-tu à ce point incapable de me prendre en considération avant de faire quelque chose qui me concerne ?

Pietro m'observe, circonspect, d'une façon qui signifie pour moi qu'il sera toujours incapable de me comprendre. Et puis il sort une de ses idioties préférées.

– Essaie de te calmer.

Étonnant qu'il n'ait pas ajouté : « Nous devons regarder de l'avant. » Et puis, si, il le dit juste après :

– Nous devons regarder de l'avant.

– Ah oui ?

Ma voix est aiguë, ridicule.

– Oui, Luce, moi j'ai envie de regarder de l'avant.

– Et alors, qu'y a-t-il devant toi de tellement passionnant ? dis-je en gesticulant et désignant la jungle qui s'élève comme un mur le long de l'allée.

– Devant moi, il y a toi, me répond-il en me regardant droit dans les yeux.

Sur le forum, les femmes se plaignent beaucoup des hommes en général, et de leurs compagnons qui ne les comprennent pas. Pietro part faire de la plongée, et moi, avec l'excuse du reiki, je reste dans la chambre d'hôtel. Je ne vais pas au rendez-vous avec Vincler, je me connecte au wi-fi et me mets à lire les échanges.

Sirène confie qu'elle se sent comme une étrangère parlant une autre langue. Son compagnon ne la comprend plus. Elle est en colère parce que, quand elle pleure, il minimise ou l'accuse d'exagérer. Ils ne font plus l'amour depuis des mois. *Malika81* cherche à la rassurer, raconte qu'il leur a fallu plus de six mois et qu'au début elle a dû un peu « se faire violence ». Ça lui faisait mal, elle restait sèche. Elle a utilisé un lubrifiant prescrit par sa gynéco. Ils sont aussi allés consulter un psychologue.

« Psychologue ou non, il faut du temps », répond *Loudésespérée*. Et avec toutes les dépenses qu'ils ont dû assumer, « il ne nous manquait plus qu'un psy qui prend jusqu'à cent euros par séance ! Et c'est pas remboursé par la sécu, faut pas rêver ! » Elle parle ensuite de ses parents qui pensent que si elle voit un psychologue, c'est qu'elle est folle et qu'il faut l'interner.

Loudésespérée et *Malika81* se sont rencontrées en dehors du forum et sont devenues amies. *Loudésespérée* annonce à ses amies virtuelles que dimanche elle préparera un couscous et qu'elle voudrait toutes les inviter chez elle. Certaines répondent, et acceptent même.

Le lendemain, dans l'allée de l'hôtel, je reconnais le sari couleur pourpre du Dr Vincler. Impossible de changer de direction, à moins de revenir carrément en arrière. Nous nous rencontrons au milieu du chemin.

– Bonjour Luce, me salue-t-il aimablement.

– Bonjour.

– Vous n'êtes pas venue à la séance de reiki hier.

– Je suis désolée. Nous avons été occupés toute la journée.

– J'ai vu votre mari, vous l'a-t-il dit ?

J'acquiesce de la tête.

– Je comprends votre embarras, mais sachez que vous avez toute ma compréhension.

Ses yeux bleus continuent de fouiller en moi. Ils ont l'air d'être toujours à la recherche de quelque chose. Plutôt une confirmation, car il a le regard de quelqu'un qui n'a pas besoin de trouver de réponses. Je le remercie et cherche à reprendre le chemin de la plage. Mais Vincler n'a pas l'intention d'en rester là.

– L'autre jour, pendant la séance, j'ai senti une présence.

Maintenant qu'il a compris que je ne suis pas une mère indigne, il va me sortir quelque chose de mystique pour me réconforter. Je sens que cela va m'agacer.

– Ce n'est pas un hasard que vous soyez venue précisément ici, en Thaïlande, au cœur du bouddhisme. Nos destinations ne sont jamais des hasards.

– C'est mon mari qui l'a choisie. Moi je ne suis même pas croyante.

Mais je suis quand même curieuse de savoir où il veut en venir.

– Vous n'avez pas besoin d'être croyante pour savoir que la réincarnation est le fondement du bouddhisme. Pour les bouddhistes, même après un avortement, l'âme qui a été conçue a le droit de se réincarner. Mais il peut arriver qu'elle reste suspendue, autour de la mère, dans l'attente de revenir à travers une nouvelle grossesse.

Je m'attendais à une chose du genre, mais il est parvenu à me troubler.

– Je dois y aller, mon mari m'attend.

– Je ne voulais pas vous rendre soucieuse, dit-il en me barrant le passage. Je voulais faire quelque chose de bon. Lorenzo... je me souviens bien de son prénom, n'est-ce pas ? Son âme ne vous a pas quittée, elle est encore avec vous.

Folie. Pure folie. Ce n'est même pas la peine de l'écouter. Cette fois-ci, mon ton est péremptoire :

– Je dois vraiment y aller. Au revoir, docteur Vincler, et je me dirige rapidement vers la plage.

La seule chose dont je suis sûre quand je pense à mon fils est que sa peau et sa chair me manquent. Je m'en rends compte quand je vois un petit enfant. Surtout les pieds, les mollets ronds, les cuisses dodues. Les petites jambes imparfaites de Lorenzo me reviennent à l'esprit et une douleur me saisit à la poitrine. Quelque chose qui n'a rien à voir avec l'âme. Mais avec un désir purement charnel.

Il existe des animaux qui, lorsqu'ils perdent leurs petits, volent ceux des autres pour se les approprier. C'est le cas de nombreux mammifères, comme les chimpanzés ou d'autres singes. Un acte violent, plein de désespoir. Il arrive aussi que des pingouins, découvrant qu'ils ont échoué dans leur couvaison après avoir passé des mois sans nourriture ni lumière pour protéger leur petit du froid polaire, déploient toute la force dont ils sont capables pour s'emparer d'un petit qui ne leur appartient pas.

J'aimerais être un pingouin quand je les vois descendre du minibus bleu avec les nouveaux arrivants : un père, une mère et un bébé de quelques mois. Ils sont orientaux, bien habillés, peut-être en provenance de Bangkok. On les installe sur le canapé en face du nôtre. L'homme se lève pour s'adresser à la Thaïlandaise de la réception, la femme reste assise. Le nourrisson a deux ou trois mois, je ne sais pas, je n'ai pas d'expérience en la matière. Il est rond, moelleux et un duvet noir lui recouvre la tête. Je ne sais pas s'il s'agit d'un garçon ou d'une fille, il porte un body en coton blanc. Ses bras et ses jambes nus sont bronzés, ses petits pieds, roses. Il est accroché à ce sein petit et ferme, le sein d'une jeune femme d'à peine vingt-cinq ans. Tout à coup la mère le détache de son mamelon, le tourne et le place à l'autre sein. Le bébé agite frénétiquement la tête, les bras et les jambes jusqu'à ce qu'il se remette à téter, les traits du visage de nouveau détendus. Si nous étions des pingouins, personne ne s'étonnerait ni même ne tenterait de s'interposer si à l'instant je me levais du canapé et m'élançais pour arracher ce petit de sa poitrine. Je suis si pleine de rage que j'aurais certainement le dessus sur elle. Son homme essaierait sûrement de la défendre, mais Pietro est plus fort et il l'étendrait à terre d'un coup de poing magistral. Et nous repartirions comme ça, en nous dodelinant sur nos pattes palmées avec nos plumes agglomérées et nos petites ailes inutiles. Enfin à trois, comme de droit.

Mais nous ne sommes pas des pingouins, hélas. Nous sommes des êtres humains, et le destin des humains est complexe. La famille orientale se voit attribuer le bungalow à côté du nôtre. Pietro demande à la femme de la réception s'il est possible de changer de chambre, mais l'hôtel est complet les jours prochains.

– Et avec ça, on nous dit que c'est la crise, grommelle-t-il tandis que nous nous dirigeons, tendus et nerveux, vers la salle de restaurant.

La nuit je l'entends pleurer. Ses cris me transpercent comme des milliers d'aiguilles qui s'enfoncent dans mon utérus battant. Pietro n'arrive pas à dormir non plus. Nos yeux se rencontrent dans la pénombre de la chambre, puis se quittent, impuissants. Jusqu'à ce que parvienne le cri le plus aigu, le plus pénétrant de tous. Il m'atteint droit dans les seins, qui immédiatement deviennent durs comme des pierres. La douleur est si forte que je voudrais les arracher. Puis je la vois, cette auréole sur le tissu de ma chemise de nuit, à la hauteur du téton. Je soulève ma chemise, déplace le soutien-gorge et je découvre du lait qui s'écoule. Quelques gouttes blanches, mais qui suffisent à me donner des frissons.

– Que se passe-t-il ?

– Rien, dis-je en couvrant mon sein avec le drap.

– Je vais leur parler... Il faut qu'il le fasse taire. Tu es sûre que ça va ?

Je ne suis plus sûre de rien. Pas même de ce lait, qui ne devrait pas être là, mais qui existe. Jaillissant de mon désir malade, brûlant comme s'il était de l'acide, et tout à fait inutile.

Je comprends encore mieux la rage d'un pingouin qui vient de perdre son petit. C'est une question de survie.

– Demain, on cherche un vol, déclare Pietro en écrasant un oreiller sur sa tête. On s'en va d'ici.

Forum Espacerose.com, 2 mars, 10 h 07

Mila :

Chères femmes désespérées,

Beaucoup d'entre vous ne sont pas mamans, même si le fait d'avoir porté dans votre ventre votre enfant pendant plusieurs mois vous a fait vous sentir mères. Mais une mère, ce n'est pas seulement cela.

Moi, je peux dire que j'en suis une. Si je suis une bonne mère, je ne le saurai qu'avec le temps. J'ai deux garçons et j'attends une petite fille. Pour les trois, j'ai décidé de ne pas savoir. Je n'ai fait que les examens indispensables, quelques échographies et tous les rendez-vous de suivi.

Je n'ai pas voulu savoir parce que dans tous les cas j'aurais voulu les garder. Que Sa volonté soit faite, me suis-je dit. Je n'aurais jamais eu le courage, ou plutôt la prétention, de prendre une telle décision. Je ne me serais jamais permis de me mettre à la place de Dieu.

Toutes les actions accomplies avec cette prétention sont entachées de façon indélébile, parce que nous sommes tous des pécheurs et nous ne pouvons que nous remettre au jugement du Seigneur et à Sa miséricorde.

L'oublier est un péché, et nous expose au mal et à ses souffrances.

Regardez en vous et demandez pardon.

Ela :
Je ne supporte plus les ingérences des *pro-life* qui viennent cracher leurs jugements et leurs sentences dans ce forum. Vous êtes contre l'avortement ? D'accord, on a compris, mais ayez au moins un peu de respect pour la souffrance des autres. Je reçois même dans ma boîte personnelle des messages de menaces et d'insultes ! De la part de gens qui n'ont rien de mieux à faire que de me traiter d'assassin ou de m'accuser d'être contre les handicapés. C'est tellement absurde. Mais que croyez-vous régler de cette façon ? Vous ne vous rendez pas compte que vous ne faites qu'ajouter de la souffrance à la souffrance ? Vous n'avez peut-être pas tué de fœtus malade, mais avec votre violence verbale, vous nous tuez tous les jours.

L'enfant de Giorgia et Paolo est né dimanche. Ils l'ont appelé Ludovico. Pietro veut aller leur rendre visite, il dit que nous ne pouvons pas les éviter éternellement.

– Tu as entendu ce que je viens de dire ?

Être contraints de vivre sous le même toit, dans une proximité quotidienne, nous éloigne chaque jour plus l'un de l'autre, nous qui sommes déjà en mal de communication. D'ordinaire, c'est la télévision qui remplit nos silences et se glisse dans les vides sans jamais parvenir à les remplir.

– Alors ?

Il ne peut pas m'obliger à le suivre. Ni même y prétendre.

– D'accord, j'irai seul, conclut-il.

Je n'écris plus, et si je feuillette un journal, je ne vais pas au-delà des titres. J'ai l'impression d'avoir perdu toute faculté cognitive. J'oublie les choses, je sors sans papiers, je ne me souviens plus des noms, de mes rendez-vous. Nous nous nourrissons d'aliments précuits ou achetés chez le traiteur en bas de la maison. Le frigo est presque toujours vide, de même que les placards. La cuisine, cette magnifique cuisine superéquipée qui m'a vue m'affairer dans la confection de recettes et de dîners délicats pour nos amis, est désœuvrée. Je passe la plus grande partie de mon temps devant mon ordinateur, et en cachette de Pietro. Deux mois ont passé et la date prévue de l'accouchement approche. Mais pour moi, nous sommes toujours en décembre. Je me repasse mentalement les scènes relatives à la maladie de Lorenzo, comme si, en les revivant, elles pouvaient révéler des conclusions différentes : le diagnostic du Dr Paggi, la rencontre avec Piazza, la pilule donnée par Wilson, tous les clichés échographiques qui ont rythmé notre descente aux enfers.

– Je dois prendre les billets pour Londres, dit Pietro. Tu es certaine de ne pas vouloir venir là non plus ? Un jour, tu pourrais regretter de ne pas avoir assisté à l'enterrement.

– Ce n'est qu'un fœtus.

– Si tu ne viens pas, je ne le rapporte pas en Italie. Je le fais enterrer là-bas.

Ses chantages sont comme des blessures sur la peau, qu'il faut désinfecter.

– Et qu'as-tu l'intention de faire écrire sur sa pierre tombale ? « Ci-gît le fœtus que nous avons décidé d'avorter parce qu'il serait né handicapé » ?

Pietro écarquille les yeux, et met un peu de temps à reprendre son souffle.

– Il faut que tu voies un psychologue, dit-il en se trompant d'approche encore une fois. Je ne te le répéterai plus, ma patience a des limites.

Puis il prend son manteau, le cadeau pour Ludovico et j'entends la porte d'entrée claquer dans le silence.

En vieillissant, on découvre que tout a une limite. Même l'amour. Et nous qui le croyions grandiose, indestructible. Mais l'amour est une blessure qui ne guérit jamais, toujours sur le point de se rouvrir. Il suffit d'un rien pour qu'elle s'infecte.

Ma mère m'envoie l'un de ses messages ridicules : « Tu veux ma mort. Bien, si cela te fait aller mieux, j'espère qu'elle viendra vite. »

Comme si la mort n'était déjà pas assez présente dans ma vie.

Je m'apprête à éteindre le téléphone quand un autre message parvient : « Envoie-moi l'argent. Tu es en retard pour le virement. »

Elle pourrait se douter que bientôt je me retrouverai sans travail et que je suis en train de brûler toutes mes économies. Tôt ou tard je devrai demander de l'argent à Pietro. Je dépends de lui maintenant. Si je m'en allais, je ne serais même pas en mesure de subvenir aux soins de ma grand-mère. Il faudrait que je cherche un nouveau boulot. Mais que peut faire une femme qui a consacré sa vie à l'écriture ? Je ne suis plus si jeune pour recommencer à zéro, et dehors il y a une armée de jeunes filles au chômage prêtes à entrer dans la ronde. Le monde du travail n'attend pas une journaliste qui a perdu la capacité d'écrire.

Pietro prépare ses bagages pour Londres. Je devrais l'aider en lui passant les affaires à mettre dans sa valise. Mais je reste assise, immobile sur le lit avec un de ses pull-overs dans les mains, jusqu'à ce qu'il me l'arrache. Puis en le pliant, il rompt le silence :

– Il s'appelait Lorenzo, dit-il en prenant sa valise en main. Ce n'était pas seulement un fœtus, c'était aussi mon fils. Et sur la pierre, il est suffisant d'écrire son prénom et son nom.

La maison sans Pietro est habitée par des fantômes. La nuit, quand j'étouffe, je me réfugie dans la salle de bains. J'allume la lumière et le ventilateur pour déjouer l'obscurité et le silence. Si Pietro était là, j'irais dans la chambre à coucher pour m'assurer de la réalité de son corps, de l'existence irréfutable de ses épaules pour faire barrage contre l'obscurité. Ce soir, j'y reste plus longtemps.

J'ai peur. Il y a quelque chose dans l'air, quelque chose d'irrespirable, de poussiéreux. Je ne suis pas seule, je le sens. J'ai peur de l'air autour de moi comme de la porte de sa chambre fermée dans le couloir. Des formes noires qui découpent un cadre dans l'obscurité du couloir. Si Vincler avait raison, ce serait l'âme de Lorenzo qui serait en train de respirer autour de moi. Mais je ne peux pas ouvrir mes mains pour lui permettre d'approcher. J'ai trop peur qu'il ne veuille pas me pardonner.

Il faut que je passe à une autre idée. Je décide de faire un peu d'ordre en rangeant les crèmes sur les étagères en face du lavabo. Mon regard s'arrête sur une feuille de papier enroulée en cylindre.

Mes analyses d'hormones bêta.

Il y a neuf mois, je les ai placées là dans l'idée de les conserver. La première trace de vie de mon fils.

Je prends la feuille et la laisse tomber dans la corbeille comme si elle allait s'embraser. Je devrais faire la même chose avec toutes ses affaires, me dis-je. La feuille a dû tomber sur quelque chose de mou parce qu'elle n'a émis aucun son. Je regarde dans la corbeille, et je trouve le gros pull à carreaux bleus et verts de Pietro, en boule tout au fond. Celui qui peluche et dont les fils pendouillent. Celui des grandes occasions.

Je détourne le regard.

J'entreprends un panoramique de tous les objets qui appartiennent à mon quotidien : la baignoire, le porte-savon avec le dessin stylisé d'une femme années 1930, le miroir rond, le panier avec les pinces à linge. Et puis, le calendrier. Toujours arrêté sur cet éternel décembre.

Je ne l'ai pas fait jusqu'alors, mais à l'instant j'ai envie de le détacher du mur et de le parcourir. Revoir ces journées, les choses que j'ai notées pendant la grossesse.

Le mois de juillet est une page couverte de signes et de symboles, de nombres et de notes. Je poursuis et retrouve les nausées et les maux de tête d'août, l'échographie, l'amniocentèse de septembre, et les maux de dents d'octobre. Un siècle semble s'être écoulé depuis lors. En plus de noter les progrès du fœtus, je faisais parfois le compte du nombre de jours passés. Enfin, je trouve la case la plus cruelle. À la fin du mois de novembre, sous une aquarelle aux couleurs automnales, qui représente un banc au milieu d'un parc, une date est entourée. Je suis enceinte de vingt-six semaines et deux jours. Ou bien six mois et quatre jours, ou encore cent quatre-vingt-quatre jours. Une page du manuel de grossesse est attachée là : « Comment ton enfant a grandi, vingt-six semaines de grossesse : cette semaine il commencera à ouvrir les yeux, qui jusqu'à maintenant étaient fermés et scellés sous les paupières. La plupart des nourrissons naissent avec les yeux bleus, puis la couleur change pendant plusieurs semaines. Le système nerveux de ton enfant est de plus en plus développé : maintenant, ton enfant est capable de sentir la douleur. »

Certaines choses ne devraient pas se trouver à l'endroit précis où nous les trouvons. Pas à ce moment-là, pas ce jour-là. Des choses comme le lait qui en Thaïlande a surgi de mon sein et a mouillé le drap ; les menaces des *pro-life* dans la boîte aux lettres personnelle d'*Ela* et de tant d'autres femmes du forum ; les analyses bêta sur cette étagère à quelques jours de la date du terme ; le pull de Pietro, jeté là, dans cette corbeille. La douleur qu'a dû éprouver Lorenzo quand il était encore à l'intérieur de moi.

J'arrache le calendrier du mur, je le froisse et je le jette. Puis je me couche sur le sol, en proie à de longs sanglots. Les mains ouvertes sur le carrelage froid, et la sensation presque imperceptible de quelque chose, ou quelqu'un, qui lentement les effleure.

La rédaction de la revue m'appelle pour m'avertir que cette semaine le directeur annoncera l'arrêt de ma rubrique dans un bref éditorial en page huit, discret et tout en nuances comme lui seul sait les faire. Il voudrait aussi me voir le plus vite possible pour parler de vive voix de notre situation contractuelle, il est désolé que je me sois complètement désintéressée de la revue. Avec le peu de conviction que je parviens à mobiliser, je lui promets au téléphone que je lui ferai signe au plus tôt, mais cela ne m'a pas été facile de mentir.

Je lève les yeux de mon téléphone et je vois dans un même coup d'œil toutes les patientes de Marina qui comme moi attendent leur tour de consultation.

On dirait des poissons d'élevage. Nous grouillons dans un courant fictif sans savoir laquelle d'entre nous sera pêchée en premier. Deux ont un ventre énorme, mais je ne saurais plus dire de combien de mois elles sont enceintes. C'est comme si trop de temps avait passé depuis le moment où j'étais dans le même état. Je les observe et je me demande si elles renferment un enfant en bonne santé ou bien une créature qui, comme Lorenzo, ne verra jamais la lumière du jour. J'aimerais être généreuse, bénir ces vies encore en devenir, mais je n'y arrive pas. Je suis terriblement envieuse de la béatitude qu'affichent ces deux femmes comme un droit inaliénable.

Marina passe la tête hors de son cabinet et me fait signe de la rejoindre. Je passe en premier. Elle estime qu'il est inutile de me faire attendre trop longtemps parmi les autres femmes.

Je m'allonge sur la table d'examen. J'écarte les jambes et les pose sur les appuis métalliques. Le froid de l'acier me remonte dans le dos. Marina me sourit avec son habituelle complicité maternelle, tout en glissant la sonde échographique le long des parois vaginales. Ses mains sont délicates, mais c'est quand même une violence pour moi. Sur l'écran de son moniteur apparaît une tache grise, un vacillement d'ombres et de lumières. L'utérus aussi, comme le cœur, a été saccagé. Autrefois il y avait Lorenzo dedans, qui flottait, ignorant que nous étions en train de l'étudier, désormais il n'y a que des taches. Et c'est paradoxal que ce soit précisément à partir du gris de cette absence que Marina me conseille d'essayer à nouveau.

– L'utérus est parfait, dit-elle convaincue de me rassurer. L'endomètre se prépare pour une nouvelle ovulation.

Puis elle se met à énumérer toutes les patientes qui ont vécu une expérience semblable à la mienne et qui ont aujourd'hui deux ou trois enfants. Des enfants en pleine forme qui ont comblé de joie leurs parents.

On se débarrasse d'un enfant défectueux pour en avoir un autre parfait, me dis-je, mais la vie n'est pas une marchandise.

Je remets ma culotte, et je dis seulement que je ne suis pas encore prête.

Marina presse mon poignet, un geste appuyé dont émane une compréhension sincère. Ses grands yeux se posent sur mes cheveux sales, attachés à la va-vite d'une pince en plastique, puis sur mes chaussures usées, mes ongles rongés et ma chemise élimée. Sur l'effort surhumain que je fais chaque matin pour ne pas me laisser anéantir par moi-même. Je n'éprouve pas de gêne vis-à-vis d'elle, mais pas non plus d'aise.

– Il faut que tu sois patiente. D'expérience, le seul conseil que je peux te donner est de faire le plus vite possible un autre enfant.

Avant de me dire au revoir, elle me laisse une carte de visite. Elle me conseille une psychologue et s'étonne que je n'aie pas encore ressenti le besoin qu'un spécialiste s'occupe de moi.

Je le rencontre en sortant de la clinique, à quelques pas de la barrière mécanique du parking. Je me force à garder les yeux ouverts malgré la lumière du soleil de midi et le vois sortir d'une berline noire conduite par un homme qui a tout l'air d'être un chauffeur. Il n'est pas le seul à descendre de voiture, une femme blonde et élégante l'accompagne, qui doit avoir mon âge. Elle me ressemble énormément. Elle tient la main de deux jeunes enfants, blonds eux aussi, et si beaux que l'on dirait des anges pris au paradis, tandis que lui, avant de les suivre comme un poisson pilote, se fait remettre par le chauffeur un nouveau-né enroulé dans une couverture de flanelle rose, la dernière arrivée de la famille.

Je le reconnais aux traits de son visage si semblables aux miens : c'est Romano, mon père idéal. L'homme qui, il y a des années, a volé le cœur de ma mère sans jamais prendre le soin de le lui restituer.

La femme doit être sa fille, sa *vraie* fille. Et voilà donc ses petits-enfants, deux garçons et une fille de quelques jours.

Ils ont l'air tous tellement fiers et heureux. Elle s'est déjà remise de l'accouchement, vu comme elle est serrée dans ce haut noir moulant et enveloppée dans son châle gris perle. Ses cheveux sont propres et coiffés en arrière, pas comme les miens. Son père la regarde ainsi que ses enfants comme si c'était la première fois qu'il les voyait. Il garde imprimé sur le visage ce sourire qu'ont toujours les pères quand ils réalisent l'immensité de la beauté qu'ils ont été capables d'engendrer.

Ça devrait être ma vie, me dis-je, comme clouée sur place dans le bitume. Je me rends compte que c'est un désir inassouvi qui s'exprime, dont les origines remontent à très loin, et qui, je ne sais comment, s'est immiscé partout, dans chacune de mes pensées, chaque geste, chaque décision.

Romano passe à côté de moi et me regarde dans les yeux. Un regard rapide, primitif, qui révèle comme une entente profonde et lointaine entre deux êtres qui se reconnaissent de la même espèce. Peut-être le déclencheur est-il un souvenir enfoui ou un présage indicible ? Je ne suis qu'une inconnue, mais mon air familier a dû l'interpeller. Je suis une version brune et décoiffée de sa fille, et quelque chose en moi lui rappelle un amour ancien qu'il croyait oublié ; je viens du passé, et pourtant j'habite ce présent des générations qui se renouvellent et de ces petits-enfants qui viennent au monde. Je suis proche et en même temps très lointaine. Mystérieuse et mélancolique, comme un souvenir d'enfance. Romano détourne son regard et poursuit son chemin. Tandis qu'il rejoint le reste de la famille à l'entrée de la clinique, je me demande ce qu'il reste de moi dans ses impressions, pour combien de temps encore j'habiterai ses pensées. L'instant d'après, je le vois disparaître derrière les portes automatiques de l'entrée, sans avoir même imaginé avoir fait partie de ma vie plus que mon véritable père, et peut-être que ma vie tout entière n'a été rien d'autre qu'une longue course dans la tentative vaine de le rejoindre.

Ma mère me revient tout à coup à l'esprit, encore jeune, fatiguée par l'accouchement, m'accueillant pour la première fois dans ses bras. Je suis sa fille : les traits de mon visage parlent d'elle. Mais je ressemble aussi à Romano, comme cela devait être inscrit dans ses désirs les plus secrets. Et pourtant, sur le seuil de cette petite chambre d'hôpital sans rideau, il n'est pas là. Dans l'atmosphère humide et étouffante d'un après-midi d'août, un autre homme est là, immobile, fier d'être devenu père. Il n'est qu'une mauvaise copie de l'autre, mais il est là, en chair et en os, et s'approche de notre lit. Il me prend dans ses bras et me sourit. Tout à coup cependant, aux yeux de ma mère, cet homme n'a plus rien de Romano, ni le sourire, ni le regard, ni les traits du visage. L'enchantement a disparu. Des lèvres de la femme qui vient de me donner la vie disparaît toute trace de sourire. Même si désormais tout est inscrit. Chez ma grand-mère, sur le lit, se trouve une robe de mariée en dentelle ancienne encore enveloppée dans le papier de soie, des chaussures pointure trente-huit en satin blanc alignées sur le sol et le menu du repas de noces posé sur une console à l'entrée. Ma mère ferme les yeux, les rouvre, et en un instant nous voit tels que nous sommes.

J'arrive à la voir moi aussi, nettement. Petite fille maigre dans sa chemise de nuit de coton blanc. La vie qui lui tombe dessus tout à coup, mettant au jour tous ses évitements. Elle a travaillé jusqu'au dernier moment, avec le ventre tendu comme un tambour et mes petits pieds appuyant sur le col de l'utérus. Le regard toujours tourné vers ailleurs, vers ce passé qui a le goût du non-dit, des gestes ratés, vers l'espoir qu'un jour ou l'autre il puisse se transformer en une autre possibilité d'avenir. Mais entre-temps, ces gestes distraits finissant on ne sait trop comment en une insémination non désirée, la trame d'une vie entière tout à coup se dilate dans toute sa dimension : une toile d'araignée géante et oppressante. Et ma mère, rien de plus qu'un insecte, avec ses pattes molles prises au piège de cette matière visqueuse qui sera la substance définitive des journées à venir. Ma mère, une épouse ratée. Une proie faible.

Tenter de faire coïncider nos idéaux avec la réalité est presque toujours un jeu perdu d'avance. C'est inutile d'insister, ces fragments ne se correspondent pas. Je l'ai compris le jour où mon fils est apparu sur l'écran du moniteur de l'échographie au milieu de ce chaos silencieux de signes esquissés. Et ma mère a dû certainement le comprendre quand elle m'a prise dans ses bras pour la première fois, en se cherchant elle-même ainsi que les traces de son grand amour dans les traits de mon visage encore si flous et imprécis. Je me demande si elle y a pensé. Si un instant, cet après-midi-là et les jours qui ont suivi, elle m'a regardée dans les yeux en retenant des mots inavouables, amers comme le fiel. S'il ne lui est jamais venu à l'esprit le regret de ne pas avoir avorté.

– Parlez-moi de ce que vous ressentez.

Le cabinet du Dr Lucidi, la psychologue que m'a conseillée Marina, est un des rares lieux, en dehors du forum, où il m'est permis de parler librement. Ailleurs, mon fils n'est qu'une grossesse qui n'est pas arrivée à terme, un fœtus trop faible pour survivre et sur lequel est tombé le voile d'un embarras glaçant. Ailleurs, notre choix ne peut pas être affiché comme tel, il serait massacré par l'ignorance et l'hypocrisie.

Le Dr Lucidi connaît mon histoire dans les moindres détails. Marina lui a déjà parlé de moi et je lui ai raconté le reste, depuis que j'ai pris place sur ce fauteuil.

Son cabinet ressemble à un salon. Elle est assise sur un canapé fleuri et derrière elle, sur le grand mur vert sauge, sont accrochés cinq cadres représentant des sujets bucoliques. Les rideaux sont d'une toile que je ne connais pas, légère, presque frivole. Les éclairages diffusent une lumière chaude. Ce n'est pas un cabinet meublé avec goût, mais il est accueillant.

Après avoir écouté la version longue de mon histoire, son visage a quelque chose de vacillant. Elle doit avoir une quarantaine d'années, pas plus. Un joli minois, régulier, encore embelli par son tailleur. Elle n'a pas l'air d'être mère. Je me demande, peut-être à tort, à quel point une professionnelle comme elle peut comprendre une maternité en échec. La maternité est comme une ligne de partage des eaux dans l'univers féminin, et les livres et les manuels ne suffisent pas pour en saisir toutes les nuances et en défaire les nœuds. Mais qu'a-t-il été déjà écrit à propos de l'avortement thérapeutique, combien de livres, et pour dire quoi ? Le sujet faisait-il partie de ses études ? Ou ai-je surgi comme un vent brutal et inattendu dans le cours tranquille de sa vie professionnelle ?

Avec ces pensées, je me ferme comme un hérisson. Je ne lui concède qu'une réponse vague. Je ne me sens pas bien.

Mais elle ne renonce pas. Elle explore mon récit pour y frayer un passage, un point d'entrée. Elle en parcourt à nouveau les étapes, toutes les informations, même non verbales que je lui ai transmises, et finit par parler.

– Votre compagnon, contrairement à vous, n'a jamais eu de doutes ni d'hésitations. Vous m'avez dit qu'il vous a paru certain de ce qu'il fallait faire dès le début, n'est-ce pas ?

Je me reproche immédiatement d'avoir été si généreuse dans les détails. Je ne peux pas lui laisser insinuer que, si Pietro n'avait pas été là, je ne me trouverais pas dans cette situation. Mais il est inutile de reconstituer mentalement ce que je lui ai déjà révélé, ma mémoire est à l'image d'une passoire et les souvenirs ont vite fait de disparaître. Mieux vaut nier.

– Je ne pense pas avoir jamais parlé de doutes.

– D'où pensez-vous que vienne votre sentiment de culpabilité alors ?

– Je ne pense pas avoir parlé de cela.

La vérité est que je porte cette culpabilité comme un gros sac-poubelle nauséabond, et qu'il est impossible de le cacher. Je voudrais pouvoir l'enfouir, et je pense que c'est aussi le cas pour Pietro. Nous nous le traînons depuis des mois. Croire que j'ai été contrainte d'interrompre la grossesse pourrait alléger mon poids. Faire de Pietro l'unique responsable. Me convaincre que sans sa détermination je ne serais jamais montée dans l'avion pour Londres. J'ai bien essayé, mais en vain. Je me demande alors de quoi se nourrit cette rancœur, cette incapacité à me laisser aller dans ses bras. Autrefois, Pietro était mon point d'ancrage, ma terre ferme. Lorenzo nous a fait larguer les amarres, nous a poussés à la dérive, mais notre relation avait commencé à se gripper bien avant sa conception. Dans l'effort pour tomber enceinte qui s'est mué en obsession. Dans les frustrations qui nous ont envahis comme des parasites nuisibles, dans le poison de mon sentiment d'incapacité. Dans la conviction que je ne serais jamais en mesure de le rendre heureux.

Le docteur tente un autre chemin.

– Quand vous imaginez votre fils, dans quel endroit voudriez-vous qu'il soit ?

Je n'ai jamais manqué d'imagination. Mais dans l'imaginaire, comme dans la vie réelle, je suis antipathique et impatiente. Même un bel après-midi d'été avec une température parfaite et des vagues tièdes qui viennent mourir sur la plage peut se transformer chez moi en temps désagréable. Même les lieux que d'ordinaire les gens ne se lassent jamais d'admirer finissent par m'ennuyer. Le bonheur pour moi est dans le mouvement, la transformation. Et on me demande maintenant de choisir un endroit et d'y mettre mon fils pour toujours.

De nombreuses femmes du forum se bercent de l'illusion que leurs enfants sont devenus des anges qui veillent sur leurs vies. Mais je ne peux concevoir l'existence de mon fils comme une veille de la mienne. Et je ne veux même pas l'imaginer éternellement enfant, jouant parmi les nuages. Même le paradis ne pourrait surmonter l'épreuve de l'éternité. Je suis trop enracinée dans ma condition humaine pour balayer les dimensions du temps et de l'espace et me projeter dans cette suspension saintes d'adoration dont parlent les saintes Écritures. Je serais plus proche du concept de réincarnation que l'on trouve chez les bouddhistes, à l'idée que m'a suggérée Vincler : l'âme de Lorenzo qui reste proche de moi dans l'attente de se réincarner dans une nouvelle grossesse. Mais il se pourrait très bien que je n'aie pas d'autre enfant, de sorte que Lorenzo resterait coincé dans un intervalle éternel. Ainsi, pour moi, même ce scénario est inacceptable.

En réalité, je suis incapable de me le représenter. Pendant sept mois, indépendamment des ombres de l'échographie, Lorenzo a eu un visage. Il a parfois peuplé mes rêves de femme enceinte sous des allures d'enfant blond, magnifique, comme les petits-enfants de Romano, un enfant aux yeux bleus comme la lointaine tante de Pietro, mon nez retroussé ou l'ovale du visage de mon grand-père. Maintenant on me demande d'effacer ce visage et de repartir d'un fœtus tellement petit que personne n'aurait pu reconnaître ses traits. Même en me concentrant, je me projette dans les années à venir, et je reste face à une toile blanche. J'ai même du mal à l'imaginer respirer. Mais plus que tout, il m'est impossible de me projeter dans une difformité, de me voir reflétée dans un handicap.

Mais je ne dis rien de tout cela à la psychologue. J'adopte sa technique et lui réponds par une question :

– Comment peut-on imaginer quelqu'un que l'on n'a jamais vu ?

Et tout en plantant sur elle mes yeux sauvages et fiers, je me demande aussi comment il est possible de ressentir un manque si cruel, si viscéral, comme si on m'avait arraché un membre, me laissant en lambeaux et vacillante au bord du gouffre, sans plus d'harmonie, sans pensée aboutie, comment on peut éprouver un tel manque pour quelqu'un que l'on n'a jamais connu.

Forum Espacerose.com, 5 mars, 11 h 31

Mimi :

J'interviens dans ce forum pour vous dire que je respecte profondément votre souffrance et vos choix. La vie est un labyrinthe et chacun cherche à s'en sortir. Mais puisque personne ne nous montre le chemin, peut-être serait-il plus juste de rester concentré seulement sur sa propre route.

Je sais combien c'est douloureux de se trouver face au choix de garder ou non une vie que l'on porte en soi. Je connais la peur qui nous assaille quand on se sent seules, face à l'énorme responsabilité de s'occuper d'un être humain. J'ai avorté quand j'avais dix-huit ans, et je me demande souvent comment il serait aujourd'hui, à qui il ressemblerait. Mais après ce choix, la vie m'a fait prendre une voie que certainement je n'aurais pas empruntée si j'étais devenue mère aussi jeune. Une voie pleine de satisfactions. Aujourd'hui, je suis une femme indépendante, aimée et respectée. Surtout, j'ai pu faire des études et à vingt-huit ans je suis devenue médecin spécialiste en physiothérapie. J'ai épousé un homme que j'avais rencontré à l'université, un camarade d'études, et je suis devenue mère de deux splendides filles, qui très probablement n'existeraient pas aujourd'hui si j'avais choisi de ne pas avorter. J'y pense souvent, surtout aujourd'hui où je dois affronter une épreuve terrible. Je suis au huitième mois de grossesse et depuis quatre mois je sais que mon fils ne survivra pas parce

qu'il est acéphale. Quand il quittera mon ventre, il est destiné à s'éteindre rapidement. On m'avait conseillé l'avortement thérapeutique, et s'il s'était agi d'une anomalie chromosomique qui aurait signifié une vie aux limites de la survie, je n'aurais probablement pas hésité. Mais on m'avait aussi dit que si j'avais le courage de le mettre au monde, mon fils pourrait faire don de ses organes et sauver la vie de nombreux nourrissons en grande détresse. C'est pourquoi j'ai décidé de continuer la grossesse.
Ce n'est pas un parcours facile. Se réveiller chaque matin, sentir qu'il grandit et ne rien pouvoir faire pour le garder avec soi. Il m'arrive parfois sans m'y attendre d'associer l'avortement que j'ai fait à dix-huit ans avec l'expérience extraordinaire que je vis, comme s'il s'agissait de rééquilibrer la balance. Pourtant je suis un médecin athée, qui cherche des réponses dans la raison et non dans la foi. Mais la vie parfois est tellement surprenante que la raison seule ne suffit pas.
Je vous dédie à toutes ce témoignage. De la part d'une mère qui attend de voir mourir l'enfant qu'elle porte en elle, dans l'espoir de voir renaître le sourire sur le visage de bien d'autres mamans.

Il commence à faire plus chaud. Cette année, la chaleur est en avance et nous a pris à l'improviste, comme un raz-de-marée.

C'est dimanche, un jour lent et dangereux. Pietro et moi sommes devant la télévision. Avant la pause publicitaire, nous regardions un documentaire. Il me semble qu'il décrivait le rituel d'accouplement d'un mammifère, je ne sais plus lequel. Il expliquait – ça, au moins, je m'en souviens – les raisons qui poussent une femelle à jeter son dévolu sur un mâle plutôt qu'un autre. En plus du besoin de protection, est aussi en jeu l'instinct de préservation et d'amélioration de l'espèce. C'est pourquoi le mâle choisi est souvent celui dont l'apparence est la plus virile et dont le patrimoine génétique semble le plus prometteur. Publicité pour un lait en poudre : un enfant en train de rire. Je vois des enfants partout. Ils me paraissent tous tellement beaux. Tellement insupportablement beaux et en bonne santé.

J'ai besoin d'une douche.

Dans la salle de bains, je trouve un nouveau calendrier accroché au mur. Il appartient à la même série que son prédécesseur : des aquarelles peintes à la main dans la tradition provençale. Nous avions acheté le premier dans une brocante à Orange. Je me demande comment Pietro a fait pour s'en procurer un autre.

Il est ouvert sur le mois de mars. De petits signes inscrits au crayon de papier ne peuvent échapper à un regard attentif. Je le prends et le feuillette, en cherchant à comprendre à quoi ils correspondent. Des astérisques, notés çà et là, sans critère apparent, au-dessus du nombre des jours.

Je sens Pietro s'approcher de la porte et frapper doucement.

– Tu es là ?

Je réponds par l'affirmative. Mais seul un filet de voix s'échappe comme asséchée au fond d'un puits.

Je pourrais ouvrir la porte et le remercier pour ce présent inattendu, lui demander des explications pour tous ces astérisques, mais je ne le fais pas. Je constate chaque jour l'érosion du lien entre nous. Je m'impose d'y croire encore, tout en ayant l'impression d'assister à la scène déchirante de Pietro courbé au chevet de notre amour comme sur un corps sans vie qu'il tenterait de ranimer. Je ne peux que prier pour qu'il ne s'avoue pas vaincu.

– Je vais me promener. Tu veux venir ?

– Non.

Je perçois son hésitation, il voudrait peut-être entrer et me mettre des claques. Puis j'entends ses pas dans le couloir. Le bruit sourd chargé de colère de la porte d'entrée qui claque. Je tiens le calendrier entre les mains, le retourne, et puis découvre une inscription sur le dos. C'est une note, une sorte de légende afin de déchiffrer le sens de ces astérisques.

« Toutes les fois où tu as esquissé un sourire », est-il écrit.

Matilde nous a invités à dîner. Les parents de Pietro ne m'ont pas vue depuis longtemps. Je cherche une tenue adaptée pour l'occasion, me coiffe et me maquille. Matilde tient à ces choses-là, et je mets un point d'honneur à ne pas la décevoir. À ne pas décevoir Pietro. Tandis que je me prépare, une énergie nouvelle s'empare de moi : l'envie de prendre soin de moi à nouveau. Des choses simples comme faire attention à l'alimentation ou reprendre une activité physique, sujets jusqu'alors impensables. Signe que quelque chose de bon est en train d'arriver.

La domestique qui ouvre la porte s'appelle Airleen. Elle est jeune, très maigre et a un regard méfiant. Elle me précède dans l'élégante entrée de l'appartement de Matilde aux murs indigo et aux tissus bleu cobalt. Nous traversons ensuite des salons en enfilade. J'aperçois quelqu'un d'autre. Une silhouette sombre qui de loin ressemble à un spectre. En avançant un peu, je reconnais cette allure, c'est un prêtre. Un prêtre que je n'avais jamais rencontré auparavant. Mais je n'ai pas le loisir de le rejoindre, Matilde le dirige dans une pièce adjacente au salon et l'y enferme avec Pietro, comme s'ils étaient un secret qu'elle voulait tenir loin de ma vue.

Puis elle se dirige vers moi et m'accueille avec un sourire affecté en me tendant le plateau rempli d'amuse-bouches pour l'apéritif. Leonardo est plus impassible que sa femme, neutre, mais c'est pourquoi il m'a quand même toujours paru plus authentique.

– Je me suis permis d'inviter aussi le père Giorgio, annonce Matilde. Pietro avait envie de parler un peu avec lui. Ils sortiront dans quelques minutes.

Je refuse gentiment les amuse-bouches et le champagne et m'assieds sur un fauteuil comme une souris au fond d'un piège. Nous restons seuls tous les trois à échanger des regards pleins de questions.

Enfin Matilde relance la conversation, et dit sur le ton du sermon :

– Pietro m'a confié que vous n'allez plus à la messe le dimanche depuis des années. Je comprends que vous ne vouliez plus venir avec nous, dans notre paroisse, mais c'est vraiment très regrettable que vous vous soyez ainsi éloignés de la foi.

C'est une réprimande. J'ai entraîné Pietro sur la même mauvaise pente que moi. Je l'ai obligé à une cohabitation impure, éloignée des préceptes de l'Église, et elle, mère protectrice et présente, cherche à le récupérer.

Nous n'avons jamais eu de querelle à ce propos. Le fait de ne pas être pratiquante n'est pas si intentionnel que cela pour moi, mais plutôt le résultat d'une habitude paresseuse que Pietro a fini par faire sienne. Depuis que nous avions emménagé dans notre appartement, nous avions toujours une excuse le dimanche : « Votre paroisse est trop éloignée », ou bien « nous allons nous promener en dehors de la ville, nous irons à la messe ailleurs ». Mais la plupart du temps, nous paressions surtout sous la couette. Le dimanche était le seul jour où je pouvais avoir Pietro pour moi toute seule. Combien de fois j'ai éteint les portables et décroché le téléphone en sachant que Matilde allait essayer de nous appeler.

– Après ce qui s'est passé à Noël, je pense qu'il est important pour vous de vous réconcilier avec le Seigneur.

Elle y est venue, enfin. Nous n'en avions plus reparlé, comme si ma grossesse était un fait non avenu. Le prénom de Lorenzo a disparu comme un mouton de poussière sous l'un des précieux tapis qui ornent l'entrée, les couloirs et la salle à manger. Mais ce soir, c'est différent. Ce soir, Lorenzo est un incident auquel on peut remédier. Le père Giorgio est là pour ça. Pour être le médiateur d'une trêve. Et une fois l'absolution obtenue, nous pourrons enfin regarder de l'avant. Mettre fin à une guerre que je ne savais pas déclarée et dont les raisons échappent à ma compréhension.

– Matilde, je t'en prie, intervient Leonardo, avec un sourire de conciliation.

Il me prend sous son bras et me mène jusqu'à la salle à manger.

Chaque fois que je traverse la maison où Pietro a grandi, je me sens mal à l'aise. Elle est tellement impeccable : les plafonds hauts et décorés, le piano, les livres d'art qui tapissent les murs, les lampadaires de cristal, l'amphore ventrue sur la console du couloir. Cette maison ne correspond pas à l'imperfection d'un corps transfiguré par le handicap et la souffrance, pas plus que le sourire de Matilde, son port fier, droit. Beaucoup de parents d'enfant handicapé se sentent abandonnés par leurs propres familles. Peut-être aurais-je connu le même sort que mon fils, sous l'un de ces tapis que nous sommes en train de piétiner. Le tapis lourd et invisible de la honte.

Nous passons à côté de la cuisine. Airleen est en train d'attraper un homard dans une caisse en bois pour le plonger encore vivant dans une casserole d'eau bouillante. J'entends les coups répétés de cette pauvre bête contre les parois de métal. La cuisinière maintient le couvercle avec ses deux mains dans l'attente que le bruit cesse.

La table est dressée d'une façon sublime, comme toujours. À peine sommes-nous assis que le mari d'Airleen remplit nos verres de vin rouge et distribue des petites brioches dans des assiettes en argent posées à côté des verres. Quelques minutes plus tard, Pietro vient nous rejoindre.

Son regard est détendu. Il remarque que je porte une robe de soirée, que je suis maquillée et coiffée. Il en est stupéfait, comme si c'était notre première rencontre. Il m'embrasse sur la joue avec un éclat dans les yeux.

Ensuite il me présente le père Giorgio. Un homme de petite taille, empesé par quelques kilos en trop. Un visage rondelet et bonhomme, dans lequel on distingue ses yeux noirs, enfoncés sous ses paupières gonflées. Nous échangeons un salut formel.

Nous sommes prêts à être servis. Un risotto aux herbes est accueilli d'un signe de tête par les maîtres de maison. Le mari d'Airleen fait le service auprès des invités en tenant le plat brûlant. Entre-temps sont évoqués les fonds à envoyer à la paroisse et les préparatifs pour le dimanche de Pâques. Et même des photographies de Pietro. Je vois leurs lèvres bouger et sourire, mais je n'arrive pas à me concentrer sur le contenu de leurs propos. À l'exception des répliques que s'échangent mes beaux-parents : Leonardo qui s'obstine à désapprouver ironiquement tout ce que Matilde approuve et vice versa. Malgré cela et malgré le fond permanent de formalisme hypocrite, une atmosphère joyeuse règne, qui dispense même cette chaleur familiale qui autrefois faisait naître envie et admiration en moi et aujourd'hui me fait seulement ne pas me sentir à ma place. Le fait que Pietro se sente tellement à l'aise me rend nerveuse.

Quand le homard est servi, Matilde me parle du cours de Pilates auquel elle s'est inscrite récemment, et dit que c'est une bénédiction pour ses os. Je m'efforce de l'écouter malgré une somnolence et une barre derrière les sourcils. Elle dit qu'elle s'y rend chaque jeudi avec un groupe d'amies et qu'elle aimerait beaucoup que je l'accompagne au moins une fois. Quand j'accepte, elle regarde Pietro avec un air de triomphe, comme si elle venait de me sauver de je ne sais quel danger.

Le père Giorgio coupe le crustacé en petits morceaux de même taille. Il les mastique patiemment avant de les engloutir. Un rite précis et méticuleux. Dans ma tête résonnent les échos des antennes et des pattes qui tapent dans la marmite sur le feu. Il boit ensuite un peu d'eau et me regarde. Il m'interroge d'abord à propos de mon travail, et exprime ses regrets que j'aie décidé d'interrompre ma rubrique. Mais il en sait encore bien plus. Il sait tout ce que Pietro vient de lui confesser, et effectivement il me dit que mes yeux ont l'air triste. Il me confie qu'il aimerait beaucoup me parler en privé après le dîner. C'était donc là qu'ils voulaient tous en venir. Poussée dans mes retranchements, j'accepte donc, même si la dernière chose que je souhaite en ce moment est bien celle de me confesser avec un soi-disant représentant de Dieu sur Terre. Il me suffit de savoir qu'il est le représentant d'une institution qui en voulant élever à la sainteté une femme laïque a choisi Gianna Beretta Molla, qui avait décidé de ne pas se soigner d'un cancer et d'aller vers une mort certaine afin de ne surtout pas avorter de l'enfant qu'elle portait. Rien de plus éloigné de ma décision.

À peine le dîner terminé, je m'approche de Pietro et le supplie de me raccompagner à la maison. Je lui dis que je ne me sens pas bien. Je dois empêcher le père Giorgio de m'entreprendre. Pietro me donne satisfaction. Matilde et Leonardo insistent pour que je reste encore un peu, mais je suis imperturbable.

– Je suis désolée, j'ai mal à la tête.

Dans l'ascenseur, Pietro me regarde droit dans les yeux :

– Qu'est-ce qui ne va pas ?

La cabine amorce sa descente et une secousse nous déstabilise.

– Rien, réponds-je en prenant appui sur la paroi de métal.

– Je te connais.

– Si tu me connaissais vraiment, tu saurais que je n'ai pas besoin de parler à un prêtre. Je croyais que nous serions seulement tous les quatre.

Sur l'écran de l'ascenseur, le compte à rebours a commencé : 5, 4...

– Je pensais que parler avec une personne sensible et cordiale comme le père Giorgio aurait pu t'aider.

– Je n'ai pas besoin d'aide. Et pas non plus d'une absolution. Contrairement à toi, qui certainement lui as même demandé pardon.

4, 3... Par l'effet de la descente qui renforce la force de gravité, je me sens légère, presque aérienne.

– Oui, je me suis confessé, oui, je lui ai demandé pardon... répond Pietro, tout en maintenant ses yeux figés dans les miens. Et je n'en ai pas honte.

3, 2...

– Le pardon suppose le regret, c'est ce que je trouve profondément hypocrite : le fait que tu aies demandé pardon pour un acte que tu n'as jamais regretté, parce que si nous revenions en arrière ou si cela arrivait à nouveau, tu ferais exactement la même chose. Est-ce que je me trompe ?

– Bien sûr que je referais la même chose.

– Et alors pourquoi demander pardon ?

– D'être des humains.

1, Terre.

Forum Espacerose.com, 25 mars, 22 h 13

Violettedemer :
Quand j'étais enfant, je mettais souvent ma mère en difficulté en lui posant des questions sur la religion auxquelles elle ne savait que répondre. La première était : « Maman, mais pourquoi Jésus fait-il ressusciter Lazare si de toute façon, un jour ou l'autre, il sait qu'il devra mourir ? Ne comprend-il pas qu'il l'oblige à mourir deux fois ? » Puis, en grandissant, je suis passée à des requêtes moins difficiles sur le plan théologique, mais plus compliquées sur le plan de la vie quotidienne : « Pourquoi toi qui es divorcée tu ne peux plus recevoir la communion ? Est-ce que c'est ta faute si papa est parti avec Elisabetta ? Qu'est-ce que tu aurais dû faire selon le curé, rester seule à trente-cinq ans pour le restant de tes jours ? » Et puis, chemin faisant, j'ai accumulé quantité de situations qui ne me convenaient pas. Mais c'est une autre histoire. Ma mère ne peut plus me répondre aujourd'hui, non pas parce qu'elle ne le veut pas ou qu'elle n'ait pas réussi à trouver des réponses satisfaisantes, mais parce qu'elle est dans le coma. Elle vit dans une condition absurde, indigne et humiliante depuis plus de quatre ans. Ils peuvent raconter ce qu'ils veulent, personne ne me fera croire que derrière toute cette injustice ne se trouve pas la volonté du Seigneur.
Je me suis mise à écrire dans ce forum pour deux raisons : d'abord parce que cette année j'ai connu deux avortements

spontanés pour des raisons congénitales et vous lire me donne du réconfort. Comme disait toujours ma mère, je dois penser à ceux qui sont plus malheureux que moi pour me consoler. Merci, donc, parce que certaines d'entre vous sont dans une souffrance tellement plus grande que la mienne que ce serait difficile de ne pas se consoler un peu. Ensuite, parce qu'en vous lisant je me suis rendu compte que s'il y a vraiment une chose qui vous tourmente, c'est la question de la volonté du Seigneur. Vous n'avez de cesse de chercher des justifications pour les choix que vous avez faits, pour les maladies de vos enfants, qui se sont transformés en une nuée de petits anges. Selon moi, en raisonnant de cette façon, vous vous enfoncez dans un guêpier de contradictions. Je serais vraiment curieuse de savoir comment vous vous Le représentez, vous, ce Dieu. Pourquoi, selon vous, voudrait-Il infliger tant de souffrances à un enfant qui n'est même pas encore né ? Et que penser des instruments que la science met à notre service pour les diagnostics prénatals ? Ne sont-ils pas le résultat de ce même progrès qui nous permet aujourd'hui de vaincre des maladies qui jusqu'à peu étaient considérées incurables ? Que s'est-il passé ? Le progrès a-t-il fait changer la volonté du Seigneur ? La vérité, selon moi, est que l'homme se remplit trop souvent la bouche en parlant de Dieu. Et évidemment, du coup, il se retrouve embringué dans un tas de contradictions, et il finit par ne même plus avoir la liberté de choisir. Vous voulez des exemples ? Pour commencer, les lois de ce pays sur des thèmes aussi brûlants que l'avortement et la fin de vie. Selon moi, Dieu ne devrait même pas entrer dans ces domaines. Car après tout, tout le monde ne croit pas en Lui. Et puis c'est de plus en plus difficile de faire en sorte que les quelques lois qui existent soient respectées, car les médecins qui ne sont pas objecteurs de conscience sont de plus en plus rares. Parce qu'il semblerait

que l'objection de conscience, dans ce pays moraliste, soit devenue une façon de faire carrière.
Mes chères amies, la vérité est que la vie est bien plus complexe que ce que les informations, l'Église, l'État, les éditorialistes, les experts en la matière voudraient nous le faire croire. Dans la vie normale, le bien et le mal se confondent souvent, et exprimer un jugement est devenu une tâche difficile, même si aujourd'hui il semble que ce soit devenu le sport le plus pratiqué.
Les antiques Romains disaient : *« Divinum opus est sedare dolorem. »* En d'autres termes, avant l'avènement du christianisme, ils pensaient que la souffrance était un mal à éviter. Mais le Christ est arrivé, avec sa croix et ses épines, pour nous dire qu'au contraire les derniers seront les premiers. Et la souffrance, dès lors, est devenue un privilège, une expiation inévitable. Cependant l'homme a évolué, et le progrès nous permet non seulement d'alléger les souffrances, mais aussi de repousser la mort, jusqu'à nous placer face à des questionnements toujours plus difficiles, auxquels pas même ma mère n'aurait pu trouver de réponse digne. Elle essayait toujours de me répondre et parvenait presque à me convaincre. Faites-moi confiance, mesdames. Ça suffit de souffrir. Faites seulement ce que vous jugez de plus juste, dans le respect de ceux que vous aimez et que vous porterez toujours dans votre cœur.

Ivan et Neri organisent une fête pour célébrer les dix ans de l'entreprise qu'ils ont créée ensemble, une agence de presse qui travaille pour des créateurs de mode. Pietro ne voulait pas venir, mais il a fini par accepter de m'accompagner.

C'est notre première sortie mondaine depuis six mois. Et dans deux jours, il partira à Singapour où il restera trois semaines pour son travail. Je me surprends parfois à souhaiter qu'il monte dans l'avion et ne revienne plus. Je l'aime comme je n'ai jamais aimé dans ma vie, et je voudrais seulement qu'il ait tout ce qu'il désire. Qu'il soit heureux à nouveau.

Il se gare derrière une camionnette blanche.

– Tu es sûre de vouloir y aller, parce que moi, vraiment, je m'en passerais bien.

– Je te dis que oui.

– Alors pourquoi pleures-tu ?

– Je ne pleure pas.

Il tourne la clé, éteint le moteur.

Je connais Ivan depuis l'époque de l'université. Il a toujours fait des fêtes. Il vit dans un univers de musique, de voix et de rires depuis que nous avons vingt ans.

La porte d'entrée est ouverte. Nous avançons dans un nuage de fumée et d'alcool. Il fait presque noir et les meubles ont changé. Depuis que Neri est arrivé, les espaces sont comme agrandis et ont pris une allure plus moderne. On reconnaît le goût d'un esthète à travers le choix des objets, des rideaux et des canapés.

Ivan et Neri viennent à notre rencontre et nous embrassent chaleureusement. Ils fraient un chemin pour nous parmi les invités en lançant à chaque groupe des commentaires ironiques et provocateurs. J'apprécie leur exubérance. Ils ne sont pas maladroits et inefficaces comme tous les autres. Ils ne sont pas comme ces amis qui se sont retirés telle de la laine feutrée, ou ceux qui se sont laissé submerger par leur sentiment d'impuissance face à la catastrophe. Et ils ne sont pas déprimants comme les autres couples de trentenaires qu'il nous arrive de fréquenter. Ce couple sans reconnaissance officielle a su déjouer la routine du quotidien, le désenchantement, l'odeur âcre que laisse le bois brûlé après l'incendie.

Ils nous accompagnent jusqu'au bar.

– Vous trouverez ici tout ce qu'il faut à un être humain pour être heureux, dit Ivan.

Neri lui pince le ventre.

– Allez, viens faire semblant que tu es encore sobre, lui dit-il en l'emmenant par le bras et en nous donnant rendez-vous plus tard.

Ils s'éloignent en riant parmi les rires de leurs invités, homosexuels pour la plupart. Je reconnais quelques anciens camarades d'université, ainsi que des mannequins et des actrices plus ou moins connus. L'ambiance est détendue, informelle. Comme j'aimerais en être à nouveau !

Je me souviens de la première fois que j'ai emmené Pietro ici. Il était très mal à l'aise, il n'avait jamais fréquenté de gays auparavant. Il était émouvant. Je dansais à côté de lui pour le provoquer, puis partais dans d'autres pièces de l'appartement en parlant avec tout le monde.

Ça m'amusait de le savoir debout à côté de la table, raide et dépaysé. En fin de soirée il s'était détendu et nous nous étions mis à danser ensemble. Il se déchaînait sur la piste sur un air de *dance* remixé. Il m'a pris les mains et, à l'oreille, pour être plus fort que la musique, il m'a crié :

– Tu es ce qui m'est arrivé de plus beau !

Aujourd'hui je jalouse ces deux garçons qui dansent et s'amusent, pressés de rentrer chez eux faire l'amour, avec un préservatif, sans penser au futur, ni aux enfants qu'ils voudraient ou ne voudraient pas faire. Je jalouse ceux qui dansent ici ce soir, tous ceux qui s'amusent ; Ivan et Neri qui s'étourdissent de conversations ; leur amour sans finalité de procréation et qui ne sera jamais menacé par ce sentiment d'impuissance stérile.

Je me sers un verre de vin rouge et l'avale d'un coup. Une année a passé depuis la dernière fois que j'ai bu de l'alcool. J'ai arrêté à cause de Lorenzo. Maintenant, rien ne m'empêche de m'en servir un autre immédiatement. Et encore un autre.

Pietro n'a pas le temps d'émettre un commentaire à propos de ma soif subite car surgissent Ivan et Neri entre nous. Neri nous verse encore un verre, je bois encore, cette fois-ci accompagnée. Ivan me confie que ma rubrique lui manque, m'implore de la reprendre, mais Neri lui ferme la bouche avec sa main. Il s'excuse de sa part, dit que j'ai seulement un blocage créatif et que pour le résoudre il me faut simplement changer mes habitudes. Il a même une solution : il me propose de m'employer dans leur agence de presse. Ivan ouvre de grands yeux :

– Elle est journaliste ! Tu vas la vexer !

Mais Neri défend sa cause avec une proposition concrète :

– Je suis prêt à te payer le double de ce que je serais prêt à payer pour avoir n'importe qui d'autre, réfléchis-y !

En d'autres temps, j'aurais refusé. Mais ce soir, sa proposition m'interpelle et je songe à ce que ce serait d'avoir un travail à temps plein, qui n'a rien à voir avec tout ce que j'ai fait auparavant et qui aujourd'hui me semble tellement inaccessible. Je gagnerais en indépendance. De sorte que j'annonce à Neri que c'est une proposition alléchante et que je vais y réfléchir. Ivan et Neri trinquent à l'avance à mon engagement et repartent dans la foule de leurs invités. Pietro n'a pas dit un mot. Le regard absent, il fixe le salon illuminé par quelques lanternes chinoises toutes blanches. Il a une bière à la main, je l'imite et en décapsule une à mon tour. Cinq années ont passé depuis la première fois que nous sommes venus ensemble dans cette maison, et nous ne sommes plus les mêmes. Nous ne sommes plus ces deux aimants incapables de résister l'un à l'autre. Nous sommes des planètes en orbite contraintes de maintenir une distance entre nous pour éviter la collision. Mais quelque chose d'imprévu pourrait toujours arriver. Peut-être lorsque Pietro montera à bord de cet avion pour Singapour. Une explosion du système solaire pourrait nous faire quitter nos orbites et nous pourrions nous retrouver à errer sans but dans l'espace, toujours irrémédiablement plus éloignés l'un de l'autre.

– Tu exagères. Maintenant, ça suffit avec l'alcool. Il vaudrait mieux que nous rentrions à la maison.

Je bois une nouvelle gorgée de bière, qui en vaut deux, m'essuie les coins de la bouche avec le poignet et je lui réponds que je n'ai pas envie de rentrer. Il peut me laisser les clés sous le paillasson.

– Et avec qui vas-tu rentrer ?

– Je prendrai un taxi.

Je vide mon verre et j'insiste pour qu'il rentre tranquille.

Et cette fois-ci, il s'en va. Il tourne les talons et s'en va. De la main, il salue Ivan et Neri et les remercie en vitesse. Je le vois disparaître, exaspéré, derrière le rideau des corps, reparaître dans le couloir et disparaître à nouveau au-delà du seuil. Sans jamais se retourner.

– Tout va bien ? me demande Ivan. Il s'est passé quelque chose ?

Ce n'est qu'une question de secondes. Je me précipite dans l'entrée, mais je suis arrêtée par une danse collective à laquelle évidemment tous les invités ont décidé de prendre part. Je pousse un couple dans le couloir, j'ouvre la porte. Personne sur le palier, et l'ascenseur est occupé. Je sens mon pouls battre dans ma tête, mais je me précipite dans les escaliers et dévale les marches. Je cours sans plus sentir mes jambes, jusqu'au hall de l'immeuble. Mais une fois dans la rue, j'aperçois notre voiture qui file au loin. Je n'ai pas mon téléphone sur moi. Dans mon état d'apathie permanente, je ne le recharge même plus et je l'oublie presque tout le temps sur la table de nuit.

Je pourrais remonter et appeler un taxi. Mais j'ai l'estomac retourné par tout le vin absorbé. Je me dirige à pied vers la maison, une marche d'une demi-heure qui m'aidera à me dégriser.

À la maison, les lumières sont éteintes. Pietro est déjà couché. Ses valises sont ouvertes à côté de l'armoire du couloir, il a commencé à les préparer. J'entre dans la chambre en faisant du bruit et m'allonge près de lui, le cœur palpitant de remords et de fatigue. Je l'appelle par son prénom, doucement, une fois, deux fois. S'il ne dort pas, il est devenu très fort pour faire semblant. Il a peut-être décidé de m'ignorer. Ou bien de me punir.

Mes pleurs serrés dans la gorge, j'essaie de m'endormir. Dans ma tête prend forme la première volonté après des mois d'inertie : demain j'appellerai Neri pour accepter sa proposition. Si je veux quitter le seul homme que j'ai aimé au point de croire que je pouvais voler, et me lancer seule dans le vide qui m'attend, j'ai absolument besoin d'un parachute.

La sensation d'un casque me comprimant les tempes me réveille : les effets secondaires de tout l'alcool que j'ai bu. L'instant d'après, je trouve le lit déjà vide. Pietro a laissé un mot sur la table de chevet : « Je rentrerai tard, ne m'attends pas pour le dîner. Appelle ma mère s'il te plaît, tu le lui avais promis. »

Le cours de Pilates est bien le dernier endroit au monde où j'ai envie d'être. Mais j'y suis avec Matilde, au centre de cette grande salle lumineuse. Dehors, la circulation de la mi-journée bloque les ruelles du centre-ville ; sous nos pieds nus, un parquet de bois clair à larges lattes. Des tapis en mousse rectangulaires sont disposés au sol, un pour chaque personne qui assistera à cette leçon de gymnastique. Il s'agit surtout d'amies de Matilde : des femmes d'âge moyen, bien maquillées, aux coiffures vaporeuses même à la gym.

Matilde est tendue, elle me présente avec des phrases syncopées. Elle est inquiète que je fasse mauvaise impression. Alors je m'efforce de répondre aimablement aux questions banales que l'on me pose sur ma rubrique ou sur le travail de Pietro. Je pense qu'elles sont toutes au courant de ce qui nous est arrivé. Lorenzo a certainement été le principal sujet de conversation dans les salons durant la semaine du Nouvel An. Nous attendons l'arrivée de la prof, une Italienne qui a étudié le Pilates à New York. Derrière moi, deux jeunes femmes discutent de cellulite. Une des deux raconte qu'elle n'a pas encore réussi à éliminer tous les kilos qu'elle a pris pendant sa dernière grossesse. L'autre soutient que choisir d'accoucher par césarienne n'aide pas à la *remise en forme*. Elle la nomme comme ça, en français, *remise en forme*, et jure que la prochaine fois elle fera tout son possible pour ne pas se faire ouvrir le ventre. Mais son amie lui rétorque qu'après une première césarienne l'accouchement par voie basse n'est pas recommandé. Combien j'aimerais moi aussi me soucier de remise en forme et de cellulite. Programmer des enfants pendant le cours de gym comme s'il s'agissait d'achats de Noël.

La prof se trouve être un prof. Il entre dans la pièce, avec la responsable du club, et le silence se fait immédiatement. Il s'assoit tout au fond de la pièce, sur son tapis de mousse, qui me fait penser à un radeau dans une mer infestée de barracudas.

La responsable explique aux nouveaux arrivants, dans les grandes lignes, en quoi consiste la gymnastique que nous allons pratiquer. Il fait chaud dans cette pièce, j'étouffe, mais personne ne semble s'en rendre compte. Matilde, comme les autres, écoute avec intérêt et rit aux plaisanteries sur les bienfaits du Pilates pour les fesses et les seins. Je les regarde : elles sont toutes si absorbées, si candides. J'ai l'impression d'être la seule athée dans un repère de jésuites, la seule personne sobre dans un rassemblement de gens saouls.

– Quelqu'un a-t-il un problème particulier à signaler ? Mal de dos ou autre ? demande le prof du fond de la salle.

Une bouffée de chaleur me submerge, je manque d'air. Quelque chose oppresse ma poitrine, une pointe qui me perfore la cage thoracique. Il faut absolument que je m'en libère sinon je risque de suffoquer.

– Moi, dis-je, et une vingtaine de paires d'yeux se tournent vers moi.

– Je vous écoute.

– J'ai eu un avortement thérapeutique il y a six mois, à la vingt-neuvième semaine. Un accouchement, donc.

C'est sorti tout seul : un élan que je n'ai pas pu retenir. L'embarras s'empare de toute l'assemblée comme une chape de plomb. Matilde est assise à côté de moi, je ne peux donc pas voir son visage, mais je ressens comme un frémissement lui parcourir le corps. Mais c'est trop tard, je ne peux plus m'arrêter.

– J'ai mal partout dans les os, dis-je pour préciser. Dans le dos, dans les bras. Je me demande si le Pilates va me faire du bien ou au contraire aggraver la douleur.

Personne ne pipe mot, pas même le prof. Ma déclaration les a mortifiés. Les plus choquées sont les amies de Matilde. Elles me regardent comme une intruse qui inspire la pitié mais qu'il faudrait gentiment escorter jusqu'à la sortie. Ça n'a pas d'importance. Maintenant que je l'ai dit, j'ai retrouvé ma respiration et je ne peux plus m'arrêter.

– Mon fils avait une dysplasie du squelette, une forme rare de nanisme. On nous avait dit qu'il ne survivrait sans doute pas à l'accouchement. Mais l'hypothèse la pire était qu'il survive : il aurait affronté une existence de souffrances. C'est pourquoi nous l'avons fait. Nous sommes allés à l'étranger. Parce que ici ç'aurait été considéré comme un délit, comme un infanticide, et moi aujourd'hui je serais en train de purger une peine ou peut-être, chose plus probable, je serais en attente de jugement. Mon fils avait une maladie des os, mais maintenant c'est moi qui ai mal partout dans les os.

Puis je m'interromps. Je devine la honte éprouvée par Matilde à l'immobilité de son corps. Un trou noir qui lentement l'absorbe. Moi, au contraire, j'ai l'impression d'être en lévitation et de me contempler moi-même de cette hauteur. D'éprouver une sorte de fierté envers cette femme si faible et si forte en même temps, envers cette survivante. Je suis fière de moi.

Je sens les regards des autres m'envelopper comme les tentacules d'une méduse, venant de toute part, urticants, vénéneux. Mais c'est dans cette brûlure que je trouve le sens de ce que je viens de dire. Tout à coup, c'est comme si Lorenzo n'était plus un enfant « perdu », un fait honteux et tragique qu'il faut taire. Non, Lorenzo a été un choix, un choix bien clair. Douloureux et lucide, qui doit seulement être revendiqué haut et fort pour être compris. Un choix que j'ai fait en pleine conscience, en tant que mère et compagne de l'homme que j'aime. Nous nous sommes saisis d'un droit dont mon enfant avait été privé, par la science ou par la nature, peut-être aussi par Dieu. Un droit simplissime, basique : celui de se défendre. Et ce choix, tellement intangible, mais qui ne pouvait être que murmuré, prononcé à demi-mot, les mois passant, est devenu un marécage nauséabond. Maintenant que, d'un coup de palme imprévisible, je m'en suis extirpée, j'ai la sensation d'avoir restitué sa dignité à mon fils. Que ce n'est qu'aujourd'hui, d'une certaine façon, que je l'ai mis au monde.

Dans le vestiaire, je laisse couler l'eau du robinet sur mes poignets et je me rafraîchis le cou et la nuque. Matilde m'a suivie, elle me surveille, assise sur un banc. Je sens qu'elle farfouille dans son sac à la recherche de quelque chose. Une arme peut-être ? J'ai le regard baissé, fixé sur l'eau qui glisse sur mes mains, jusqu'à ce que je la sente arriver près de moi.

Au lieu de me tirer dessus, elle me tend une serviette blanche. Elle attend, immobile, que je la prenne, puis elle soupire et dit :

– Je suis désolée.

Elle pose une main sur mon épaule.

Je me tourne et la regarde.

Je trouve en elle une expression inattendue, mortifiée. Comme un sanglot sans larmes.

Je prends la serviette et plonge mon visage dedans. Elle a une odeur sèche, douce, rassurante. Elle sent le linge étendu au soleil, les bassines en plastique et les pinces à linge en bois. Le savon. Le fer à repasser brûlant. Les casseroles qui mijotent et les feux de cheminée.

Elle sent la maman.

Je n'ai plus qu'une envie, rentrer chez moi, me recroqueviller dans un coin en attendant le retour de Pietro.

Le chien des voisins traverse la cour sans aboyer. Il vient renifler le dos de ma main. Je laisse le portail de l'immeuble ouvert, mais il s'arrête. Il attend l'arrivée de son maître en remuant la queue.

Il a l'air heureux, comme un enfant qui ne grandirait pas. Quand mon regard s'attarde sur ses yeux ronds et expressifs, le rythme des oscillations de sa queue s'accélère. D'habitude il sort toujours à cette heure et tôt le matin. Il a appris à se contenter de quelques heures de lumière par jour. À se calquer sur les rythmes de ceux qui remplissent sa gamelle et lui dispensent quelques caresses. Il ne se pose pas de questions. Il vit dans un éternel présent, sans perception d'une quelconque fin. L'état psychique que Borges, dans un de ses romans, appelle « immortalité ». Je le regarde et je pense à toutes les fois où j'ai envié son air paisible et insouciant, comme on peut envier la paix d'un enfant.

Dans l'histoire de l'évolution, à un certain moment, nous avons troqué notre instinct primordial contre une tête pensante. Sans nous rendre compte de tout ce qu'elle allait exiger, ni de ce qu'elle devrait endurer en l'absence de réponses.

Je suis seule au centre du salon, dans l'appartement vide.

J'ouvre en grand les fenêtres et les persiennes que je gardais fermées, et j'aère le salon. Ensuite, je vais à la cuisine et j'inspecte le frigo. Trop de temps a passé depuis les dernières courses dignes de ce nom. J'arrose un pot de fleurs complètement assoiffées, je pose le verre sur l'évier que je nettoie jusqu'à ce qu'il retrouve sa brillance.

Autrefois j'aimais cette cuisine. J'avais à cœur de la tenir propre et bien rangée. En forme, comme un corps bien entraîné. Entrer dans la cuisine et sentir le parfum citronné des produits ménagers sur le carrelage, trouver des mets exotiques dans le frigo ou dans le four, parfois même préparés la veille, et les paquets de biscuits rangés par goût dans les placards me procuraient un sentiment de plaisir comparable aux satisfactions professionnelles et aux moments d'intimité avec Pietro. Cela signifiait avoir une place dans le monde. Une place tout à moi, inviolable. J'aimais cette maison parce que je pensais qu'un jour nous allions la remplir d'enfants, que l'ordre et la propreté deviendraient des défis plus difficiles à relever, comportant d'autant plus de mérite. J'aurais cuisiné pour eux. L'évier aurait connu tétines et biberons. Parmi les meubles auraient surgi des transats maculés de purée et des tas de jouets. Les sons de l'enfance auraient rythmé nos journées. Mais les avoir désirés si longtemps et si intensément n'a pas été une garantie suffisante.

Je crois que j'ai cessé d'aimer cette maison parce qu'elle n'a pas rempli ses promesses. Pourtant je sens maintenant que le moment de la réconciliation est arrivé. Le moment de l'accepter pour ce qu'elle est, avec ses vides et ses absences.

Je traverse le couloir et je passe devant la chambre de Lorenzo. Un rectangle obscur, un vide capable de m'engloutir en un instant. Je me souviens de la voix de Pietro : « Ouvre les yeux », et je revois la porte s'ouvrir sur un monde de couleurs pastel et de meubles pour enfants. Il sourit :

– Les meubles sont arrivés ce matin. Encore mieux que sur le catalogue, non ?

Où a disparu ce sourire ? Est-ce moi qui l'ai froissé et jeté en grimaçant ? Je voudrais rembobiner ma vie jusqu'à ce moment, au point exact où elle s'est interrompue. Mais je ne peux pas. Je suis encore encastrée dans cet espace neutre dont les couleurs ont fui, à la recherche d'une issue. Il est trop tôt pour ouvrir cette porte. Et peut-être trop tard pour récupérer ce qui entretemps s'est perdu. De sorte que je poursuis tout droit le long du couloir, j'entre dans notre chambre et me laisse tomber sur le matelas.

Je voudrais qu'il soit là pour pouvoir lui dire qu'il me manque. Que nous sommes couverts de griffures et de cicatrices, que nous sommes irascibles et lointains. Mais que nous sommes encore là. Et que nous sommes encore nous-mêmes. Mais je suis incapable d'autre chose que de me retrancher dans l'attente.

Quand je me reprends enfin, il fait nuit. Pietro dort à côté de moi, recroquevillé sous le drap. Il n'a pas voulu me réveiller. Ses valises sont prêtes et alignées au fond de la chambre, il a dû tout préparer en silence. Il a dû penser que mieux valait m'éviter.

J'ai oublié l'horaire de son avion demain, mais maintenant je sais ce que ce voyage représente pour lui. Il s'y est agrippé de toutes ses forces, comme un plongeur en difficulté à sa bouteille de secours. Il veut reprendre son souffle et sortir la tête de l'eau. Il veut s'éloigner de nous. De moi.

J'essaie de l'embrasser, de secouer ces épaules qui ressemblent à un mur, mais il pousse un grognement et ne se tourne pas. Toutes les fois où Pietro a dit « ça suffit » me reviennent à l'esprit. Je sais qu'il est capable d'une fermeté que je n'ai jamais eue. Il accumule, il accumule et un jour il déclare que c'en est trop. Une coupe franche et nette, et il n'y pense plus. Le sang-froid d'un chirurgien confronté à un cancer à extirper. Et si aujourd'hui le cancer, c'était moi ? Je reste un moment à le regarder fixement, mes yeux immobiles comme ceux d'un oiseau empaillé. Je n'avais jamais pensé à nous comme à une réalité qui pouvait avoir une fin. Une maladie en stade terminal. Mais cette nuit, lui qui a toujours eu le sommeil léger, qui n'a jamais su se soustraire à mes appels, continue de dormir.

Le lendemain matin, au réveil, les valises ont disparu. Le lit est vide et défait. De nouveau, un mot : « Mon avion est à 18 h 45. Je passe te dire au revoir dans l'après-midi. »

Je l'appelle sur son portable mais il est éteint. Un frisson me parcourt les mains et la poitrine pendant que je compose le numéro de son bureau et que je demande à la secrétaire de me le passer.

« Je suis désolée, madame, il est en rendez-vous à l'extérieur, mais il m'a chargée de vous dire qu'il sera de retour après déjeuner et vous rejoindra chez vous à seize heures. »

Je regarde par la fenêtre, le soleil qui semble immobile dans le ciel alors qu'il est en train de monter. Je n'ai jamais eu de patience quand il s'agit d'attendre. Même mon fils n'a pas su me l'enseigner. Tout à coup me vient à l'esprit ma grand-mère Iolanda, quand elle était plus jeune et qu'elle me préparait le déjeuner. Elle qui a attendu son mari puis sa fille pendant toute sa vie, les mains toujours plongées dans l'eau de l'évier à laver les salades et les légumes. « Quand est-ce que les pâtes sont prêtes, mamie ? » Les fumets de sa cuisine, les vapeurs des sauces et des fritures. Tous ces parfums d'une maison devenue aujourd'hui tanière.

La télévision diffuse un de ces documentaires sur la vie animale qui autrefois me captivaient. Un merle, méticuleux et astucieux, est en train de construire un nid. Personne ne le lui a enseigné et il n'a jamais éprouvé le besoin de revenir dans le nid où il a grandi et appris à voler, pourtant il sait exactement comment s'y prendre, comment agencer les brindilles.

S'il est vrai que dans la nature les animaux quittent leurs nids pour toujours et qu'un animal adulte ne ressent jamais le besoin de revenir dans sa tanière d'origine, ce n'est pas le cas pour les êtres humains. Du moins, pas pour moi.

Je ne sais comment, mais je me retrouve dans ma voiture, les mains sur le volant et les yeux fixés sur la route, à suivre la direction de chez ma grand-mère, ce nid dont je suis tombée il y a de nombreuses années.

La maison est plongée dans l'obscurité. Rachele m'ouvre la porte, mais elle est pressée. Elle repart aussitôt à la cuisine pour passer la serpillière.

– Et ma mère ?

– Elle est en train de donner son bain à ta grand-mère.

– Ce n'est pas toi qui t'en charges ?

– Non, le bain, non. Elle veut toujours le lui donner elle-même. Ensuite, je l'aide à la remettre au lit, ajoute-t-elle en réajustant ses mèches de cheveux ébouriffées.

Cela fait des mois que je ne suis pas venue. Je connais mal les horaires et la routine de cette maison, et pourtant c'est comme si un élastique me liait toujours à elle. Je peux bien m'éloigner en suivant ma route et en ignorant cet élastique qui me laisse prendre de la distance, arrive toujours le moment extrême, à la limite de la rupture, où l'élastique réagit, sans casser, mais en me ramenant d'un coup violent au point de départ.

La porte de la salle de bains forme un rai de lumière dans le couloir. Plus je m'approche, plus il s'élargit, jusqu'à ce que je puisse les voir : ma grand-mère assise sur sa chaise roulante, complètement nue, et ma mère à genoux sur le carrelage en train de frotter le gant de toilette savonneux sur la peau blanche et fragile.

Ma grand-mère est si maigre que tous ses os sont saillants. Ses seins pendent comme des poches. La regarder donne des frissons, elle est un portrait de la mort. Elle est tellement vieille, à quoi cela lui sert-il de vivre si longtemps ? Et pourtant, ma mère est en train de la laver comme s'il s'agissait de la conserver intacte pour le restant de ses jours. Comme si c'était l'unique tâche qui justifiât qu'elle se lève chaque matin. Son visage est rougi, ses lèvres, sombres et gercées. De temps en temps elle fait une pause, s'essuie le front et les yeux.

Dans la vie, il arrive un moment où les parents redeviennent des enfants. En regardant ma mère, je me demande comment il se fait qu'elle parvienne à assumer cette conversion, elle qui précisément est toujours restée une enfant, même quand elle est devenue mère.

Je m'efforce de me souvenir des bains qu'elle me donnait quand j'étais petite, mais je n'y arrive pas. Les moments où elle s'est occupée de moi sont occultés par ceux où elle me demande quelque chose. Les images sont plus nettes quand je la revois donner des ordres. Je ne vois de moi qu'une enfant malingre, agitée, qui avance à tâtons dans le monde. Murée dans une solitude différente de celle des autres enfants, et couvant rancœur et insatisfaction à imiter l'unique modèle disponible. Le regard de ma mère : sidéral, apocalyptique. Jamais un regard doux ou reconnaissant pour l'homme qui vit auprès d'elle, pour la fille qui se forme à son contact. Un manque d'attention permanent, dans lequel se dissout l'idéal d'une existence qu'il lui est refusé de vivre : les baisers perdus de Romano, les larmes qu'elle a cessé de verser, sa transpiration qui ne se mêle plus à aucune autre. Le destin qui ne s'est pas réalisé.

J'ai traversé l'enfance et l'adolescence comme des champs de mine, sous la menace quotidienne d'une explosion. Parfois il m'est même impossible de me représenter une époque où nous avons partagé le même corps. Mais si cela n'avait pas été le cas, nous n'aurions pas cet élastique, ce cordon ombilical qui pendant des années nous a liées comme une chaîne. Parfois on aurait dit qu'il n'avait jamais été coupé, il faisait mal à peine était-il tendu.

J'ai commencé à travailler pour m'arracher à cette tanière, à sa présence, mais c'est autour d'elle que j'ai continué à me construire. Chaque fossé, chaque bastion a été conçu pour elle. Sans même le vouloir, elle a déterminé la cartographie de ma féminité.

Je ne m'en suis même pas rendu compte, mais j'ai laissé ses frustrations se répandre dans ma vie, et s'infiltrer partout, jusque dans la maison de Pietro. Mais maintenant que je la vois là, agenouillée sur le sol, en train de laver sa mère avec soin et dévotion, je considère tout à coup mon auto-apitoiement sous un autre jour. Une habitude qui m'a accompagnée pendant des années et qui me devient tout à coup insupportable. Ce faisant, je comprends les raisons qui m'ont poussée à ériger des murs. Nous nous sommes défendues l'une de l'autre pour nous défendre de la vie, nous abîmant l'une l'autre dans un affrontement vain.

Je les regarde encore un peu, puis je m'en vais dans le salon. J'attends que ce soit elle qui me rejoigne, quand Rachele lui aura annoncé ma venue.

Je m'assois sur le canapé et un nuage de poussière me recouvre.

La porte de la crédence est restée ouverte. Je m'apprête à la refermer, mais une pile de vieux journaux m'en empêche.

Ce sont les numéros de ma revue, empilés les uns sur les autres, du premier au dernier, du numéro où a été inaugurée ma rubrique à celui dans lequel a été publié l'éditorial du directeur.

Elle les a tous achetés et conservés, sans jamais me le dire. Je m'y attarde davantage, comme en quête de quelque chose d'autre. Je suis persuadée qu'en rangeant un peu je pourrais trouver le papier à lettre florentin, le papier jaune de la lettre de Delia, ou un set de cartes et enveloppes quelconques ; et découvrir que c'était elle derrière les histoires qui me touchaient le plus. Ces demandes d'aide qui révélaient des vies croisées et emmêlées de mères et de filles.

Je cherche en vain, jusqu'à m'apercevoir que je ne suis pas seule dans cette quête. Quelqu'un d'autre est présent dans la pièce. Une enfant qui pleure devant les dessins animés pendant les après-midi d'hiver. Recroquevillée sur le canapé avec un coussin, ou couchée par terre sous l'alcôve de la fenêtre. Elle est là, près de moi. Elle cherche aussi, encore une fois, les restes de sa mère dans les gestes d'une autre femme.

Nous nous arrêtons ensemble pour inhaler le parfum sombre de cette maison prison, de cette île perdue dans un quartier de banlieue.

– Tu es là.

La mère apparaît à la porte du salon et la petite fille disparaît.

– Je suis venue te dire bonjour, dis-je en me levant et en dissimulant la pile de revues.

– Ce n'est que maintenant que tu reparais ? me gronde-t-elle, l'air abattu. Si tu avais attendu encore un peu, tu m'aurais trouvée morte.

Puis elle se calme bientôt, comme si tout ce qu'elle s'était préparé à me dire n'avait tout à coup plus d'importance. Elle a l'air plus inquiète que fâchée.

– Les deux derniers virements ne me sont pas parvenus, m'indique-t-elle en s'asseyant sur un fauteuil. Mais je ne t'ai rien dit parce que, grâce au ciel, Rachele a découvert un beau paquet de sous dans un des tiroirs de mamie. Elle les avait cachés là on ne sait quand, et les avait oubliés. Tu vois, on se débrouille même sans toi, ajoute-t-elle avec orgueil.

Ce n'est pas qu'elle le revendique, mais elle me le fait remarquer. Elle confond les mots avec des projectiles, sauf que cette fois-ci ils se dissolvent dans sa bouche, explosent en plein air. Je sais qu'elle voudrait parler d'autre chose, en attendant elle se rabat sur Pietro.

– Comment va-t-il ?

Je réponds qu'il s'apprête à partir pendant quelque temps, et elle me regarde sans piper mot. Elle ne me demande pas si nous avons décidé de nous marier, comme elle le fait d'habitude. Le sujet est clos. Nous ne parlons pas de Lorenzo, nous ne parlons plus de rien. Nous nous asseyons devant la télévision tandis que Rachele nous apporte une carafe d'eau.

– Tu restes déjeuner, n'est-ce pas ?

J'acquiesce. Elle pose sa main sur mon bras et la laisse là, comme pour m'assurer de sa présence. Elle ne serre pas sa prise, ni ne me caresse. Sa main est posée là de façon distraite et même encombrante. La sienne.

Je m'abandonne au dossier du canapé, tandis que ma mère passe d'une chaîne à l'autre à la recherche de quelque chose qui la divertisse.

Forum Espacerose.com, 25 avril, 17h11

Clélia :

Salut les filles, je suis nouvelle sur le forum, j'avais écrit il y a plusieurs mois, puis je suis restée dans mon coin. Il y a un an aujourd'hui, j'étais à la croisée des chemins. Je me souviens de la souffrance de ces jours-là, une douleur et un poids qui bloquent la respiration, et l'estomac qui pèse, pèse, pèse chaque seconde un peu plus. Tant de larmes dans la solitude. Et puis, la décision. Celle que mon cœur m'avait toujours suggérée…

Je suis ici pour vous dire que je vous embrasse toutes. J'aimerais le faire pour de vrai, une par une. J'ai continué à vous lire en silence toute l'année, et chacune de vos histoires m'a fait repenser à ces heures que j'ai passées dans l'attente… J'ai pris une décision différente de la vôtre, mais je ne me sens pas meilleure pour autant. JE SUIS COMME VOUS. Personne n'a le droit de juger ou de se mettre sur un piédestal. Simplement, mon cœur m'a conduite dans une autre direction.

Mon enfant particulier, ma fille aux yeux et au visage trop ronds, qui ressemblent à ceux de tous les enfants particuliers comme elle, m'apprend tous les jours quelque chose. Mais elle me cause aussi tous les jours un peu de douleur, parce que c'est difficile d'accepter que plus nous avancerons, plus les choses seront compliquées.

Vous savez, ce n'est pas le futur que j'imaginais quand j'étais petite…
Ce n'est pas comme ça que je me représentais mon enfant. Mais le chemin de la vie ne suit pas toujours l'imagination. Ma mère était un jeune espoir du tennis et me mettre au monde a signifié pour elle renoncer à la possibilité d'accomplir cette promesse. Ma sœur, avant moi, terminait ses années de lycée et s'apprêtait à s'inscrire à l'université, et elle est aujourd'hui une maman au chômage qui potasse des livres pour se maintenir au niveau des autres. Images pâles de désirs non réalisés, nous aussi sommes devenues mamans. Sans mode d'emploi, sans recette. Nous avons suivi cet appel, ou tout au moins nous avons essayé. L'amour n'est pas toujours la conséquence d'un désir, et certaines vies demeurent désespérément accrochées au ventre qui les a conçues, dépassent la peur, l'hostilité, le préjugé, et indépendamment de savoir combien elles ont été programmées et désirées, seront capables d'imposer leur existence, de se faire aimer avec obstination. C'est ainsi qu'il en a été pour ma fille, qui d'abord a voulu vivre, puis a attiré à elle mon regard et aujourd'hui mon amour aussi.
Il m'arrive de regarder autour de moi avec la conscience que j'aurais très bien pu ne pas naître, et je la regarde elle, encore tellement petite, qui a connu ce même risque, je lui donne son bain et je l'allonge sur le lit pour la sécher, puis je plonge mon visage contre son ventre moelleux et je la respire. Dans ces moments-là, je ressens que rien ne me rend plus heureuse que son odeur. Elle sent bon.
C'est peut-être vrai qu'elle a pris ma vie et l'a froissée jusqu'à en faire quelque chose de très éloigné du désir, mais cette odeur-là a le pouvoir de me le faire oublier, et de me faire croire que tout ce que je devais faire, je l'ai fait. De me faire me sentir particulière. Comme elle.
Pourtant je sais que je n'oublierai jamais ces jours de tourment, les mêmes que vous avez vécus. Chaque mot que vous

employez me crève le cœur, parce que j'ai vécu cette même attente et je sais ce qu'elle signifie. Je ne sais pas si j'écrirai encore ou si ceci n'est qu'un passage unique. Pour l'heure, j'ai envie de vous adresser ce vœu du fond du cœur : que vous retrouviez bientôt le sourire. Allez, les filles ! Je vous embrasse fort.

Il est bientôt seize heures. Pietro va arriver d'un instant à l'autre. Et je suis de nouveau là, en tête à tête avec notre nid. Je regarde encore une fois la porte fermée de la chambre de mon fils, comme si j'étais un merle avec une aiguille de pin dans le bec. À la différence près que dans mon cas ma tâche est déjà terminée, mon attente a été vaine.

J'inspire profondément et je l'ouvre une bonne fois pour toutes.

La chambre de Lorenzo.

Je ne sais à quoi je m'attendais ou ce que je redoutais, mais je ne suis pas déçue.

Au-delà de cette porte ne se trouve qu'une chambre vide, qui sent fort le renfermé et la peinture. Le plafond a toujours le même trou qui devait être recouvert par le plafonnier en forme de nuage que nous n'avons jamais acheté. Au fond, à côté de la fenêtre sans rideaux, le meuble Winnie l'ourson est tellement poussiéreux qu'il a l'air déjà abîmé. Les murs à rayures blanches et bleues sont toujours là, avec la bande de papier peint qui les traverse, couverte d'oursons pastel. Les tiroirs contiennent toujours les affaires de Lorenzo, et l'armoire, tous les cadeaux que nous avons reçus ces derniers mois.

C'est la chambre d'un enfant qui n'est jamais né mais qui a fait de moi une mère pour toujours.

Sur la table à langer, je trouve quelque chose qui ne s'y trouvait pas auparavant. Une chose qui attendait depuis des mois que j'entre dans cette chambre. Posé sur le meuble se trouve l'appareil photo de Pietro.

Je l'allume, mets le mode lecture en marche et la première photo que je vois apparaître sur l'écran est une vue d'ensemble du cimetière de West Norwood. Un jardin à l'anglaise, délicatement soigné. Ce pourrait être le jardin d'une maison ou d'une école si, çà et là, n'apparaissaient pas de petites plaques de marbre. J'avance lentement. Sur une autre photographie, le cercueil blanc de mon fils fait son entrée dans la chapelle du cimetière dans les bras de Pietro. Sur une autre figure ce même prêtre qui, en cette veille de Noël à Londres, était entré dans la salle de naissance pour le bénir. Il a les mains jointes dans un geste de prière tandis qu'il adresse un regard doux à l'objectif.

Le visage de Pietro n'apparaît sur aucune photographie. Et pourtant je sens sa présence plus proche que jamais.

Ce n'est que maintenant que je réalise combien son attente a été tenace. Pendant tout ce temps, je n'ai jamais pensé à lui, à ses blessures, à sa souffrance. Chaque fois qu'il a tenté de m'en parler, j'ai évité le sujet. Et pourtant il n'a rien exigé. Aucune récrimination, il a seulement attendu que je sois prête.

Je regarde de nouveau le cercueil blanc et je sens les larmes couler sur mes joues. Pour la première fois depuis que je l'ai conçu, j'ai la sensation d'être capable de le voir. Lorenzo, mon fils.

Ce n'est pas le magnifique enfant blond qui peuplait mes rêves de femme enceinte, ni cet infirme souffrant que probablement il serait bientôt devenu. C'est un être lumineux en pointillé. Je le vois entouré d'un halo doré. Un être utérin et céleste qui diffuse une lumière calme et constante. Et il n'est pas dans cette pièce, de même qu'il n'est pas resté à côté de moi sous une forme abstraite et omnisciente dans l'attente de se réincarner dans une autre vie, comme le croyait Vincler. Il est là, dans le jardin de ce cimetière anglais, et en même temps toujours en moi.

Je n'avais jamais pensé à lui avec tant de simplicité, ni ne l'avais jamais accepté ainsi, comme un fait. Mais là, je le sais. Et je sais aussi que bientôt j'apprendrai à le chercher, dans les lumières de la nuit, dans les brusques rafales de vent, dans la solitude des souvenirs, dans les couchers de soleil blonds du printemps.

Mais surtout, je sais que bientôt, un jour qui n'est pas si éloigné, j'apprendrai à vivre avec.

Mon portable sonne quelque part dans l'appartement, me tirant de ma torpeur. Je cours dans le salon pour le trouver, je fouille parmi les coussins du canapé. Je suis encore étourdie, comme perdue dans un rêve. Quand je le retrouve, il est trop tard : un appel en absence de Pietro.

Il m'a laissé un message sur le répondeur.

« Je voulais passer te dire au revoir, mais j'ai pris du retard et je risque de rater mon avion. Je t'appelle quand j'atterris, ce sera le matin pour toi. Excuse-moi, mon téléphone est déchargé… tu l'entends ? »

C'est bien sa voix. Le même timbre, les mêmes pauses. Mais sa tête est déjà loin, ailleurs. Précisément maintenant. Maintenant que je voudrais le serrer contre moi de toutes mes forces. Que j'ai le plus besoin de lui.

Je me laisse tomber sur le canapé, mes bras lourds comme des pierres. Mes jambes, elles, sont comme du beurre.

Précisément maintenant. Maintenant qu'il me semble ouvrir les yeux à nouveau après avoir trop longtemps regardé dans le noir.

Les nuances et les contours de la réalité qui m'entoure reprennent contact avec mes cornées. Et tout à coup, je revois différemment des gestes qui étaient jusqu'alors fondus dans le quotidien : la façon dont, ces derniers temps, Pietro mélangeait le sucre dans son café matinal comme s'il s'agissait de grains de sable ; sa façon de faire son nœud de cravate en regardant par la fenêtre le soleil levant, mais en réalité comme s'il avait voulu serrer ce morceau de tissu très fort autour de son cou. Ce n'est que maintenant que j'arrive à distinguer, derrière ce tremblement presque imperceptible, son infini désespoir, son immense impuissance.

Il n'est peut-être pas trop tard.

Si je sors tout de suite, j'arriverai peut-être à le rejoindre. J'enfile mes chaussures, attrape mon sac et les clés de l'appartement. Je claque la porte derrière moi.

L'ascenseur est occupé, mais je continue à appuyer sur le bouton d'appel comme si cela pouvait accélérer son arrivée. Jusqu'à ce que la porte s'ouvre et que Pietro apparaisse, au centre de la cabine. Il a l'air épuisé, sa veste est froissée, ses cheveux, ébouriffés. Il s'appuie sur sa valise à roulettes.

Il a dû s'apercevoir d'un changement parce que son visage s'ouvre tout à coup, comme une fleur dans l'eau.

– Tu es venu pour me dire au revoir ?

– Non. Je n'arrive pas à partir.

Je ris et pleure en même temps. J'ai encore son appareil photo en main et il s'en rend compte. Si bien qu'il n'a pas l'air irrité par mes larmes parce qu'il sent qu'elles ont un goût différent de toutes celles qui les ont précédées.

La porte de l'ascenseur se referme mais nos pieds se rencontrent en voulant l'en empêcher.

Je me jette dans ses bras à corps perdu. Nul besoin de dire quoi que ce soit.

Nous sommes encore nous-mêmes. Des pièces d'une mosaïque qui ne peuvent plus s'assembler mais qui tout de même reconstituent à la perfection l'image finale. Prêts à nous rendre face à cette évidence. Au fait que, pour autant qu'elles soient différentes, nos peaux s'appartiennent, comme si dans une autre vie elles avaient recouvert le même corps. Tout comme nos cheveux, nos salives, notre sang, nos os.

Pietro me regarde. Il sourit. Il saisit la poignée de sa valise et dit :

– Rentrons à la maison.

Forum Espacerose.com, 21 mai, 15 h 09

Juliesimple :
Jeudi, j'ai découvert que mon enfant est atteint de la myopathie de Duchenne. La semaine prochaine on va me faire subir un avortement thérapeutique. Je suis effondrée. Est-ce que l'une de vous est passée par là, a réussi à le dépasser psychologiquement, et a eu d'autres enfants par la suite ?
J'ai besoin d'aide.

Petite étoile :
Salut Juliesimple, sois la bienvenue dans notre petit monde silencieux. Le conseil que je peux te donner, étant donné que j'ai connu le même état, est de choisir une bonne structure hospitalière et de ne pas affronter tout ce parcours seule. Entoure-toi de tes proches, de ton mari, ne garde pas tout pour toi. La vie reprendra bientôt ses droits : d'abord le travail, puis la maison, la relation de couple, les amis. Un petit pas après l'autre. Ce ne sera pas simple, mais il faut que tu regardes toujours devant toi.

Il a tant de choses à me raconter. Une pour chaque jour où je suis restée sourde à ses appels et indifférente à ses silences.

Il me raconte son voyage à Londres pour l'enregistrement du certificat de décès au bureau de l'état civil. Les dates de naissance et de mort correspondaient en ce jour de veille de Noël avec le terme *stillbirth*. En réalité il est mort un jour avant, mais pour la loi anglaise il n'a pas existé en tant qu'être indépendant tant qu'il est resté en moi. C'est dans ce bureau que Pietro a commencé à souffrir. Quand il a lu le prénom de Lorenzo écrit noir sur blanc sur ce document, et son nom de famille à côté. C'est alors qu'il a réalisé qu'il était devenu père.

Pietro parle et ne peut plus s'arrêter. Il a besoin de tout me dire. Il avoue qu'il ne pourra jamais oublier les deux jours passés de nouveau à Londres, fin février, pour l'enterrement.

La ville était teintée de couleurs nouvelles, transfigurées. Les couleurs des choses qui ont changé et qui ne redeviendront plus jamais comme avant. Dans la petite chapelle de West Norwood, Lorenzo n'était pas le seul enfant de cette période de gestation en attente d'une sépulture. Une liste portait le nom de sept autres enfants : « *baby* » suivi du nom de famille. Mais Pietro était le seul parent présent. Il a porté le petit cercueil blanc dans ses bras jusqu'à l'autel et l'a gardé tout le long contre lui, ne le cédant qu'au feu de la crémation. Puis il a marché dans la quiétude centenaire du cimetière, il s'est appuyé à un cyprès et il a pleuré. Là, loin des exigences de ma souffrance, il pouvait enfin se laisser aller aux larmes.

Un matin, avant de sortir de la maison, il me décrit tout à coup le visage de Lorenzo. Il me dit qu'il ressemblait au mien et que quand il a serré entre ses doigts sa petite main pâle, ce jour-là à l'hôpital, il lui avait semblé impossible de croire qu'il s'agissait d'un adieu.

Ce n'est pas une pensée permanente, un souvenir net, mais il est toujours avec nous. Il est dans les petites choses, surtout dans celles qui laissent le plus d'empreintes. Il est là chaque fois que nous nous disputons et que nous faisons la paix. Dans les yeux de chaque enfant de l'âge qu'il aurait eu que nous rencontrons. Il est parfois si présent et tangible que le temps où nous avons imaginé le monde sans lui semble impensable.

Un jour je dis à Pietro :

– Partons à Londres et ramenons-le avec nous.

Et Pietro, les yeux voilés, sourit. Comme s'il avait toujours su qu'un jour ou l'autre je le lui aurais demandé.

Je veux louer un bateau et l'emmener jusqu'à ce que nous trouvions le bon endroit pour disperser ses cendres. Je voudrais le voir voler librement dans le vent et puis planer sur les vagues.

– À une condition, dit-il, et j'incline la tête, curieuse. Que nous fassions une escale sur une île avec une petite église, que nous demandions à deux personnes au hasard d'être nos témoins, et que là, sous le soleil, sans grande cérémonie, tu deviennes ma femme.

Il m'attire contre lui. Son embrassade est comme un asile politique. Il me semble que c'est ce qu'on doit ressentir quand on goûte de nouveau, après très longtemps, au bonheur.

Aujourd'hui, je sais ce que je veux. Je veux marcher avec lui, main dans la main, tant que nous aurons de l'air dans les poumons et de la force dans les jambes. Lui peut-être devant et moi juste derrière, parce que j'aime le suivre, comme le font les animaux quand ils se mettent en file indienne derrière le chef de troupeau. Les éléphants, les chameaux, les pingouins. Dans les caravanes, tous connaissent la destination du voyage, et pourtant ils se mettent en file. Peut-être pour ne pas se sentir seuls. Ou pour ne pas courir le risque de se perdre.

Et sans doute sans enfants, nous nous suffirons à nous-mêmes. Il y a tant de choses à explorer autour de notre nid vide. Et je sais aussi que je n'aurais jamais dû, pendant si longtemps, l'oublier.

Forum Espacerose.com, 10 septembre, 11 h 12

Lucedumatin :

Aujourd'hui je ne vous regarde plus comme si j'étais sur le bord d'un précipice, les mains paralysées sur le clavier de l'ordinateur, incapables de former des mots pour vous rejoindre et vous permettre de me connaître. Vous qui m'avez accueillie dans ce recoin du monde truffé de sigles comme IMG, IVG, AS, dans ce recoin du monde ignoré et oublié, et qui m'avez offert votre douleur, vos vies qui reprenaient forme, les détails de vos samedis soir, les films du dimanche après-midi. Aujourd'hui j'ai l'impression de réussir à vous voir, de voir enfin vos vrais visages. Derrière tous ces pseudonymes ridicules, je vois vos larmes, vos peurs, vos espoirs. Votre honte. Revenir ici après un long laps de temps est comme cela a toujours été : plonger la tête dans un aquarium. Mais je ne suis pas en apnée, je n'ai plus peur du silence ou du vacarme que je redoutais si j'écrivais. Et je respire comme je l'ai toujours fait, je respire ce liquide amniotique, primordial, qui nous entoure, tandis que les mêmes parois de verre épais, incassable et pourtant si transparent nous séparent toujours du reste du monde.

À la fin de sa vie, Francis Scott Fitzgerald écrivait : « Je suis tout ce que j'ai fait et tout ce que j'ai écrit. » Je fais aussi partie de ceux qui écrivent par profession, sans beaucoup d'inventivité, ni le génie de Fitzgerald, mais combien de fois je suis entrée dans la vie des autres et y ai-je exprimé des jugements ? La rubrique de courrier dont je m'occupais dans un hebdomadaire était une pièce pleine de portes ouvertes, enfoncées sans pudeur. Et j'y entrais, également sans pudeur, comme un invité attendu, mais aussi envahissant. Combien de personnes, et non de personnages, ai-je jugé, maltraité, tourné en dérision et blessé ? Alors qu'en fait qu'est-ce que j'en sais ? Qu'est-ce que je connais vraiment du désir de maternité à cinquante ans, des fécondations assistées, des pilules du lendemain, et des enfants trisomiques qui viennent au monde ? Qu'est-ce que je sais de tous ceux qui habitent ce monde et ne peuvent pas descendre d'un trottoir parce qu'une voiture barre le passage ? De tous ces parents qui s'endorment avec une seule idée en tête : qui viendra après nous ? Y aura-t-il quelqu'un pour le défendre ? Que sais-je de la vie qui ne respire pas en moi ?

J'ai décidé de rentrer dans ces pièces, mais de le faire sur la pointe des pieds. Mes doigts, désormais libres, courent à nouveau sur le clavier de l'ordinateur comme ce n'était plus arrivé depuis longtemps, et cette fois-ci ils vous parlent de moi. De la chambre de mon fils encore intacte, de la peur que j'avais de la rouvrir et de déplacer ses affaires, même si elles portaient encore les étiquettes avec le prix et que personne ne les avait jamais touchées. Ces jours-là j'étais comme une balançoire, j'oscillais entre la rage et la culpabilité. Comment est-il possible, me demandais-je, de désirer immensément quelqu'un, de le faire grandir en soi, tout en sachant qu'au lieu de le mettre au monde il sera englouti par le néant ? Moi je n'en ai pas été capable.

J'imaginais son regard sur moi et c'est avec ce regard, avant même la vie, que j'ai réussi à faire la paix. Parce que j'étais certaine qu'il n'allait pas apprendre à parler uniquement pour répéter le mot : « pourquoi ». Un mot qui m'aurait trouvée éternellement sans réponse.

Lorenzo a été la première décision importante. Elle m'a changée en profondeur, mais je ne la renie pas. J'ai besoin plutôt de l'écrire et de la raconter au monde. De lever le voile de l'omerta qui s'étend, invisible, sur nos têtes, pour pouvoir de nouveau nous regarder dans le miroir et nous débarrasser de la culpabilité que nous portons en nous depuis des milliers d'années, en tant qu'Ève, Médée et Antigone, nous qui seules connaissons les mystères inhérents à la nature maternelle, le sens profond et ultime de nos décisions. Pour y parvenir, je dois trouver une écriture nouvelle, qui creuse lentement en moi et qui m'érode, comme l'eau avec le ciment, mais qui me ramène aussi à la lumière, tout en me donnant le sentiment de n'avoir jamais écrit véritablement.
Maintenant je suis prête. Je suis prête pour la vie. Je ne l'attends plus sous les draps, la tête en bas et les jambes hissées sur la tête de lit. Je ne l'exige pas comme si elle était un droit. Je la vis, simplement. Je vis ma vie, *la mienne*, pleine et imprévisible, sans plus me demander si un jour elle sera en mesure de se multiplier et de générer une nouvelle vie. Je prends soin d'elle comme je le ferais d'une plante, forte mais fragile, sans savoir si elle est de ces espèces qui donnent des fruits.
Ces derniers temps, il m'arrive souvent d'entrer dans la chambre de mon fils. Elle est devenue un bureau. Je conserve toutes ses affaires dans un carton au grenier. Je m'arrête parfois pour regarder mon bureau avec l'ordinateur posé dessus, le canapé blanc, les murs couleur biscuit. Plus rien n'appartient à l'enfance, plus rien ne me parle de lui, et pourtant, cette pièce est encore et restera peut-être toujours la chambre de Lorenzo. Pas de promesse. Je ne peux savoir si et quand l'enfance viendra de nouveau colorer ces murs et les couvrir d'oursons. Maintenant je l'ai compris, dans ce voyage impondérable, il n'existe pas de certitudes, nous pouvons seulement aller de l'avant, en essayant d'éviter les raisons de ne pas le faire la tête haute.

Nous venons des mères. De cette caresse lointaine qui sent le lait et les attentions.
Sous les notes pénétrantes de tous ses parfums, ma mère n'a pas d'odeur, ou du moins aucune que je saurais reconnaître, parce que depuis qu'elle m'a mise au monde elle n'a jamais appris à m'embrasser. Pourtant, ses yeux ont toujours été dans les miens, doux et fous à la fois, comme seuls les yeux d'une mère savent l'être. Ma grand-mère a quatre-vingt-dix-sept ans et elle a été engloutie par une obscurité sans forme, mais c'est là qu'elle retrouve sa propre mère et parfois, de sa bouche contractée comme si elle avait été frappée, et de ses yeux étranges, ni vivants ni morts, elle lui parle en employant un lexique que nous ne pouvons pas comprendre.
Mon fils n'a jamais rencontré mon visage, et s'il était né, peut-être ne m'aurait-il même pas reconnue. Ma caresse a été une aiguille qui a touché son dernier battement de cœur, et mon lait qui sortait à l'appel de pleurs inconnus s'est perdu dans un soutien-gorge que je n'ai plus jamais remis. Mais c'est de moi qu'il a commencé et c'est en moi qu'il s'est arrêté.
Nous venons toujours des mères et c'est à elles que nous revenons toujours, une fois terminé le voyage.

Je ne sais pas comment cela s'est produit, mais à un certain moment, là où auparavant il n'y avait que le néant laissé par Lorenzo, petit à petit la lumière est réapparue. Les couleurs se sont illuminées à nouveau, je suis redevenue une maison vivante. Une maison habitée.

Le mérite en revient surtout à Pietro. Un jour il a apporté une plante, un autre il a accroché des tableaux aux murs. Un autre encore, il a acheté des meubles, puis des chaises, des coussins et des tas d'ustensiles et d'appareils électroménagers afin que je me sente utile à nouveau.

Aujourd'hui il y a toujours des fleurs sur le rebord de la fenêtre et au centre de la table à manger. Des rideaux colorés dans chaque pièce et des draps propres dans la chambre à coucher. Il y a même une chaîne stéréo que nous allumons le soir.

Pietro a été le premier à entrer dans cette maison ressuscitée. Désormais, petit à petit, je ferai de la place au reste du monde.

Dix-septième année, numéro 771 du 7 septembre

Chère Luce,
Ce n'est pas la première fois que je vous écris. Vous me connaissez en tant qu'Agnes55, et vous connaissez ma vie dans les grandes lignes, je vous ai parlé de ma solitude, de mon travail en tant qu'infirmière à l'hôpital, de ma passion pour les films, les romans et pour votre rubrique.
Je dois vous l'avouer, vous m'avez fait me sentir orpheline pendant quelque temps. Ensuite, grâce à Dieu, en ouvrant le dernier numéro de la revue, j'ai trouvé l'éditorial du directeur qui annonçait que Luce était de retour pour nous et nous attendait en page trente.
Vous êtes enfin revenue. J'ai la sensation que vous avez parcouru un endroit reculé, presque inaccessible, dont en général il est difficile de revenir. C'est votre voix nouvelle qui me le laisse penser, presque timide, apaisée. Délicate comme le soleil d'hiver.
J'ai aimé ce que vous avez dit en citant une de vos lectrices, sur la sensation que l'on éprouve à certains moments de la vie, celle d'observer le monde depuis une étoile. Cette impossibilité à faire quoi que ce soit, parce qu'on est trop haut pour se laisser tomber, et trop loin pour que ceux qui nous observent d'en bas puissent vraiment nous comprendre.
Mais si nous finissions tous par habiter les étoiles, qui resterait dans le monde ?

Je vous remercie d'avoir eu le courage de sauter, et de revenir ici-bas, sur cette terre désolée et magnifique à la fois.

Une lectrice fidèle.

Composition PCA
44400 – Rezé

Imprimé au Canada
Dépôt légal : janvier 2016

ISBN : 978-2-7499-2606-3
LAF : 2041